SAMMLUNG MARX

ANDY WARHOL · FRÜHE ZEICHNUNGEN

Andy Warhol in New York im Sommer 1949
Photo: Philip Pearlstein

SAMMLUNG MARX
im HAMBURGER BAHNHOF
MUSEUM FÜR GEGENWART – BERLIN

ANDY WARHOL – FRÜHE ZEICHNUNGEN
© 1996 für die Katalogausgabe
Arkadien Verlags-GmbH, Berlin und
Heiner Bastian, Berlin
© 1996 für den Text bei Heiner Bastian
© 1996 für die Reproduktionen bei The Andy Warhol
Foundation for the Visual Arts, Inc., New York
Redaktion: Heiner Bastian, Berlin
Bibliographie: Céline Bastian, Berlin
Ausstattung und Typographie: Heiner Bastian, Berlin

Photonachweis: Wir danken Jochen Littkemann,
Berlin, für sämtliche im Abbildungsteil verwendeten
Farbektachrome und Schwarzweißvorlagen. Unser Dank gilt
Philip Pearlstein, New York, der uns freundlicher-
weise die Photos von Andy Warhol,
reproduziert auf den Seiten 1, 6 und 128,
zur Verfügung gestellt hat.
Lithographische Arbeiten: Büscher Repro, Bielefeld
Satz und Druck: Druckerei Tiemann GmbH + Co. KG, Bielefeld
Buchbinderarbeiten: Sigloch, Künzelsau
Oktober 1996

Die Buchhandelsausgabe dieser Publikation erscheint im
Schirmer/Mosel Verlag, München
© 1996 Schirmer/Mosel Verlag und Heiner Bastian
ISBN 3-88814-833-2

Die Deutsche Bibliothek – CIP Einheitsaufnahme

Sammlung Marx: Andy Warhol – frühe Zeichnungen /
Hamburger Bahnhof, Museum für Gegenwart, Berlin. Hrsg. und
geschrieben von Heiner Bastian. – München: Schirmer / Mosel, 1996
ISBN 3-88814-833-2 NE: Bastian, Heiner [Hrsg.]: Warhol,
Andy [III.]: Hamburger Bahnhof ›Berlin‹

SAMMLUNG MARX

ANDY WARHOL · FRÜHE ZEICHNUNGEN

HERAUSGEGEBEN UND GESCHRIEBEN VON HEINER BASTIAN

SCHIRMER/MOSEL

MÜNCHEN · PARIS · LONDON

DANK

In den Jahren zwischen 1974 und 1978 ging ich während meiner Aufenthalte in New York immer zuerst in die ›Factory‹ am Broadway, weil mich in New York kaum etwas mehr faszinierte als dieses eigenartig lebendige Studio von Andy Warhol. Da ich 1975 bereits für Joseph Beuys arbeitete, waren fortan die Factory am Union Square in New York und das Atelier von Joseph Beuys am Drakeplatz in Düsseldorf zum Mittelpunkt meiner Welt der Kunst geworden. Manchmal nahm ich Freunde mit, denen ich vorgeschlagen hatte, sich von Andy Warhol portraitieren zu lassen. Für die Sammlung Marx erwarb ich 1976, 1980 und 1981 mehrere wunderbare Bilder aus den sechziger Jahren: Andy brachte die Bilder, die er seit vielen Jahren in seinem Haus aufhob, gewöhnlich aufgerollt auf einem Besenstiel, und einmal, an einem Samstag Vormittag, während ich vor dem Studio auf der Straße auf ihn wartete, kam er in einem Taxi an, und die großen Leinwände ragten aus einem der hinteren Fenster des Wagens.

Zwischendurch traf ich Andy Warhol zu den verschiedensten Anlässen in Zürich und Rom, London, München und Düsseldorf. Andy wurde stets von Freunden begleitet. Im Herbst 1978 war ich mit meinem Freund Thomas Ammann in Paris. Andy hatte mir gesagt, daß er mir in seiner Wohnung in der Rue du Cherche Midi etwas ›bereitgelegt‹ habe: ich fand eine Rolle mit 18 klein-formatigen Portraits auf Leinwand von mir; ich weiß nicht, ob ich ihm für dieses großzügige Geschenk je wirklich gedankt habe. Ein Jahr später, im Oktober 1979, als Joseph Beuys und seine Familie anläßlich der Einrichtung der Retrospektive im Guggenheim Museum mit mir in New York waren, lud uns Andy zum Mittagessen in die Factory ein. An diesem Tag entstanden die Polaroid-Aufnahmen, aus denen Andy das Motiv seiner Portraits von Joseph Beuys auswählte. 1982 bat ich Andy, zur Eröffnung der Ausstellung der Sammlung Marx in der Nationalgalerie nach Berlin zu kommen. Vor dem Eröffnungsabend hatte sich herumgesprochen, daß Joseph Beuys, Robert Rauschenberg und Andy Warhol anwesend sein würden, und es kamen darum einige tausend Besucher mehr, so daß die Nationalgalerie aus Sicherheitsgründen geschlossen werden mußte. Während Andy stundenlang Autogramme schrieb, unterhielten wir uns über das einheitliche Grau Ostberlins, das Andy gefallen hatte: »It's so great how everything and everyone looks the same«. Andy hatte sich von einem Ausflug verschiedene der groben, naiv bedruckten Papiereinkaufstüten mitgebracht, die er für sehr gelungen hielt. In Berlin machte ich Andy mit Rainer Werner Faßbinder bekannt, der in einem Studio gerade seinen Film »Querelle« drehte.

Nach den ersten Begegnungen mit diesem Künstler hatte ich 1975 sein Buch »The Philosophy of Andy Warhol« gelesen. Die verschwindend kurzen Bemerkungen über seine Kindheit und Jugend – Aphorismen zwischen Fiktion und Travestie – hatten mich so nachhaltig beeindruckt, daß es mir nie in den Sinn gekommen wäre, mit ihm über seine Jugend zu sprechen. Da Andy die meisten Fragen mit Erstaunen zur Kenntnis nahm und damit auch beantwortete, war es so viel einfacher, ihm selbst eine interessante Geschichte zu erzählen. Nur einmal, in den ersten Januartagen 1980, in seinem Studio in New York, während er Polaroid-Aufnahmen für eine Serie von Alltagsmythen machte, für die sich ein Schauspieler umkleidete und schminkte, während unser 5-jähriger Sohn Aeneas staunend zusah, sprachen wir aus irgendeinem Grund über Kindheit, bis Andy plötzlich sagte: »I've had no childhood, I may have it later!«

Die frühen Zeichnungen von Andy Warhol, Arbeiten aus den fünfziger Jahren, sah ich 1978 zum ersten Mal. Sie erstaunten mich: Ich konnte die Paradigmen der Wiederkehr und mechanistischen Variation lesen, aber ich verstand ihre scheinbare Naivität nicht. Erst als Erich Marx sich entschloß, Arbeiten aus dieser Zeit zu erwerben, befaßte ich mich intensiver mit diesen Werken. 1980 kaufte ich dann mehrere frühe Zeichnungen von Andy Warhol. Inzwischen habe ich gelernt, daß diese erstaunlichen Blätter nicht so unendlich weit entfernt sind von jenen späteren Arbeiten, für die der Begriff Pop Art gefunden wurde. So ist diese Publikation der frühen Zeichnungen aus der Sammlung Marx, die in den letzten Jahren mehrmals ergänzt wurde und heute eine der umfassendsten Privatsammlungen darstellt, auch eine Hommage an einen großen Künstler, der bereits in den fünfziger Jahren Wege gegangen ist, die wir erst Jahre später besser verstehen lernten.

Während der Arbeit am Text zu dieser Publikation geriet ich häufig genug in Versuchung, die Zitate und Quellen meiner vorausgegangenen Lektüre zu relativieren: es überraschten mich die all zu divergierenden Angaben, mit denen die unterschiedlichsten Autoren Andy Warhols fünfziger Jahre in New York darstellten. Mag sein, daß die Lebendigkeit der Fiktionen, von Andy Warhol als Mythos selbst gewollt, irreversibel bis heute ihr eigenes Monumentum entwickeln konnten. Zweifellos gilt noch immer als eine der zuverlässigsten Quellen die Publikation »Andy Warhol. Die frühen Werke«, 1976, von Rainer Crone. Ebenso habe ich aus einem Gespräch mit Victor Bockris die Einsicht gewonnen, daß die Fakten seiner Publikation »The Life and Death of Andy Warhol«, 1989, sehr sorgfältig recherchiert sind. Victor Bockris danke ich besonders für die Überlassung seines kompletten Archivs. Aus der Lektüre von David Bourdons Monographie »Warhol«, 1991, habe ich ebenfalls wertvolle Einsichten gewonnen. Mein Dank geht für interessante Hinweise an Suzie Frankfurt in New York und Philip Pearlstein, ebenfalls in New York. Philip Pearlstein hat zusammen mit Andy Warhol einige entscheidende Jahre zwischen 1947 und 1951 zunächst in Pittsburgh als Student am Carnegie Institute und später in New York verbracht. Seine Informationen sind besonders aufschlußreich. Philip Pearlstein danke ich ebenso für die liebenswürdige Überlassung einiger früher Photographien von Andy Warhol.

Für Hinweise, Anregungen und freundschaftliche Mitarbeit danke ich insbesondere Stellan Holm, New York. Mein Dank geht ebenso an Vincent Fremont in der ›Warhol Foundation for the Visual Arts‹ in New York. Ich danke Erich Marx für seine Begeisterung und für manche kritische Anmerkung, die diese Publikation verbessert haben. Ich danke Céline Bastian für die selbständige, ungemein professionelle redaktionelle Arbeit, und dieser Dank gilt auch Christine Stotz, Kathrin Henke und Almuth Weinsheimer. Meinem Sohn Aeneas in Paris verdanke ich die Korrektur meines Manuskripts. Gedruckt wurde diese Publikation von Hans-Dieter Henke in der Druckerei Tiemann, Bielefeld mit jener Sorgfalt und Umsicht, die aus einer langjährigen Zusammenarbeit entstanden ist. Ich bedanke mich bei Simone Aulenkamp, ebenfalls in Bielefeld. Sie hat mit mir aus Manuskripten, Andrucken und Layout-Versuchen ein wunderbares Buch gemacht. Schließlich danke ich meinem Verleger Lothar Schirmer, der dieses Buch auf den richtigen Weg gebracht hat.

Heiner Bastian, Sommer 1996

Andy Warhol in einer Scheune, die er im Frühjahr 1949
in Pittsburgh mit Freunden als Studio benutzt

Heiner Bastian

DIE FRÜHEN ZEICHNUNGEN VON ANDY WARHOL

»Ich kann alles zeichnen«, antwortete Andy Warhol zaghaft mit fast
tonloser Stimme einer jungen Redakteurin der Zeitschrift *Glamour*
an einem jener Nachmittage im Sommer 1949 in New York, als er wie
viele andere junge Künstler unterwegs war auf der Suche nach Auf-
trägen, nach einem Job. Tina Fredericks[1] hatte beim Durchblättern einer
Mappe, die Andy Warhols ausgesuchte Arbeitsproben enthielt, den
schüchternen Künstler gefragt, ob er auch Zeichnungen machen könne,
die kommerzieller, die für Werbezwecke zu gebrauchen seien. Und hätte
Andy Warhol seiner Antwort, »ich kann alles zeichnen«,[2] hinzugefügt,
»wenn Sie mir nur sagen, was ich zeichnen soll«, er hätte wohl nicht
treffender eine Eigenschaft beschreiben können, die sich zeit seines
Lebens als künstlerische Praxis eines Wunschdenkens spiegelte. Noch
wußte niemand, wie sehr die latente, distanzierte psychische Disposition
dieses Künstlers die Spuren einer eigenen Handschrift verlieren wollte.
Tina Fredericks konnte nicht ahnen, daß in der gefundenen Vorlage und
der subjektiven Indifferenz Andy Warhols Werk bereits damals eine
paradox magische und komplexe Entsprechung finden würde. Sie
erwarb von dem zurückhaltenden jungen Mann, der ihr zum ersten
Mal begegnete, ein Blatt aus seiner Mappe, das Andy Warhol ihr mit
den Worten: »Nehmen Sie es doch einfach« lieber geschenkt hätte.
Die Zeichnung, die ihr besonders gefiel, schien ihr wunderbar geeignet
zur Dekoration eines einzurichtenden Kinderzimmers:[3] sie stellt die
heitere, halb abstrakte Inszenierung der Köpfe eines musizierenden
Orchesters dar, in der die Physiognomie des bewegten Mienenspiels
durch die unnachahmliche Wirkung irregulär verlaufender Tuschlinien
spielerischen Ausdruck findet. Schon in dieser Zeichnung zeigt sich
Andy Warhols Bereitschaft und Anlage zur Minimalisierung der einzelnen Form und deren assoziativer Verkettung.

An diesem Nachmittag in New York erhält Andy Warhol seinen
ersten Auftrag. Das *Glamour*-Magazin, das er sich wegen des anspre-
chenden Namens und der schönsten Anzeige aus den Gelben Seiten
eines Telefonbuchs herausgesucht hatte, brauchte für eine Werbekampagne Schuhzeichnungen und Illustrationen für eine Artikelserie, deren
erster Titel sich »Success Is a Job in New York«[4] nannte. Also probierte
es Tina Fredericks und gab ihm ein halbes Dutzend Schuhe mit auf

Andy Warhol: Illustration für die Artikelserie
»Success Is a Job in New York«, *Glamour*-
Magazin, 1949. Privatsammlung
© Conde Nast Publications, Inc.

Andy Warhol: Illustration für das *Glamour*-Magazin,
Herbst 1949. Privatsammlung
© Conde Nast Publications, Inc.

den Weg, und Warhol zeichnete sie über Nacht, korrigierte sie am nächsten Tag, indem er sie noch einmal zeichnete, bis die Redaktion vom Effekt und der Eleganz einer perfekten Werbung überzeugt war: Andy Warhol hatte die Schuhe so gemacht, wie man sie haben wollte; hinter der Fiktion des angepaßten Scheins verbarg sich schon damals die hypersensible Vorstellung von der Unerfüllbarkeit der Individualität.

In diesem Sommer 1949 ist Andy Warhol 21 Jahre alt. Er ist erst vor einigen Tagen nach New York gezogen, das er Anfang September des vergangenen Jahres zum ersten Mal mit seinen Studienfreunden Philip Pearlstein und Arthur Elias besucht hatte.[5] Während ihrer ersten Reise hatten die drei Freunde zusammen Museen und Galerien besucht, erstmals Originale von Matisse, Picasso und Klee betrachtet; sie hatten gemeinsam New York erkundet, und wahrscheinlich wurde die Stadt für alle zum fernen Ziel der Zeit nach dem Studium. Jetzt im Juni hat Andy Warhol gerade erfolgreich sein Studium der Malerei und Bildnerischen Gestaltung am Carnegie Institute of Technology, College of Fine Arts in Pittsburgh beendet und teilt sich mit Philip Pearlstein die für einige Monate zufällig freigewordene Wohnung eines Freundes im obersten Stock einer Mietskaserne am St. Mark's Place der Lower East Side New Yorks. Die dürftige Unterkunft in der schäbigen Gegend kommt ihnen angesichts ihrer miserablen finanziellen Ausgangssituation gelegen. Für Warhol jedoch war das Leben am Rande des Auskommens bereits früher eine Erfahrung, die ihn als soziale Schwierigkeit durch seine ganze Kindheit und Jugend hindurch nie verlassen hatte. Die Armut war Warhol so vertraut wie der stets dunkle, verrußte Himmel in den Arbeitervierteln der Hochöfen- und Kohlestadt Pittsburgh.[6] Geldverdienen mußte er seit seiner Schulzeit, seit dem 13. Lebensjahr, als sein Vater Andrej bereits im Alter von 56 Jahren im Mai 1942 gestorben war. Was er gespart hatte, reichte zusammen mit einer Lebensversicherung nicht lange zum Unterhalt der Familie. Während Warhols Mutter Julia für die Familie dazuverdiente, indem sie Reinigungs- und Handarbeiten annahm und mit selbstgefertigten Papierblumen, die sie in ausrangierten Blechdosen als ›Blumenskulpturen‹[7] von Haustür zu Haustür anbot, half Andy gelegentlich in einem Milchladen aus oder verkaufte zusammen mit seinem älteren Bruder Paul frisches Obst und Gemüse aus einem offenen Lieferwagen. Gleichzeitig offerierte er den Käufern Portraitzeichnungen für einen Dollar. Aber an Samstag Vormittagen besuchte er auch seit langem auf

Empfehlung seiner Zeichenlehrerin den Kunstunterricht für begabte Kinder im Carnegie Museum. Der Unterricht im Museum brachte ihn zum ersten Mal mit Kindern zusammen, die aus einer anderen sozialen Schicht kamen. Und die wenigen Stunden im Museum konnten nur mit der Erfahrung verbunden gewesen sein, endlich nicht nur in der Familie, sondern auch an einem anderen Ort kein Außenstehender zu sein.

Der schmächtige, zurückhaltend stille und ewig blasse Student, der unter Pigmentstörungen der Haut litt, der sich um sein Aussehen sorgte und sich selbst für ganz und gar unattraktiv hielt, der während seiner Schulzeit nur abseits stand, der in Comic-Heften und Shirley Temple-Filmen seine eigene Welt suchte, der das Alleinsein und die selbstgewählte Zurückgezogenheit des ständigen Zeichnens, Ausmalens, Ausschneidens und Sammelns entdeckte, der in seiner streng katholischen Mutter für alles, was er tat, Verständnis fand, konnte nach den ersten Semestern am Carnegie Institute, für das er ein Stipendium erhalten hatte, das Trauma des Ausgeschlossenseins seiner tristen Kindheit überwinden. Die Studenten, mit denen er jetzt zusammen war, hielten ihn, im Gegensatz zu den meisten seiner Lehrer, für ungewöhnlich begabt. Warhol hatte für sich selbst bereits einen ausgeprägten, eigenständigen ›Stil‹ gefunden und nahm nach Ansicht einer seiner Lehrer aus dem Unterricht nur auf, was ihn wirklich interessierte. Sidney Simon, einer seiner Kommilitonen, berichtet sogar, daß er das Carnegie Institute of Technology so verließ, wie er es einst betreten hatte; weil er schon immer gewußt hatte, was er wollte.[8] Seine Arbeiten hatten wohl selten mit der direkten Lösung einer präzise gestellten Aufgabe zu tun. Aber seine Zeichnungen faszinierten umso mehr; sie enthielten einzigartige ›Entwürfe‹. Im Frühjahr 1948 gibt ihm Larry Vollmer in Pittsburghs größtem Kaufhaus ›Joseph Horne‹ einen aufregenden Job. Andy assistiert in der Dekorationsabteilung bei der Schaufenstergestaltung, und er sucht in Modejournalen nach brauchbaren ›Ideen‹ für Dekorationen. Später wird er dazu sagen, daß er nie eine gefunden habe;[9] Larry Vollmer jedoch bleibt die einzige Person, die in seiner Erinnerung an Pittsburgh je Erwähnung findet. In diesem letzten Sommer seiner Studienzeit teilt Andy Warhol sich mit Freunden in der Nähe des Campus' eine bewohnbare Scheune als gemeinsamen Atelierraum. Er zeichnet am Pittsburgh Arts and Crafts Center Portraits für fünf Dollar. Er interessiert sich für modernen Tanz und experimentelles Theater, er arbeitet an der Literaturzeitung der Universität mit, und er hat seit langem in der etwas älteren

Andy Warhol: »The Broad Gave Me My Face,
but I Can Pick My Own Nose«, 1948/49
Sammlung Kessler

Andy Warhol: »Nose-picker«, 1948/49. Founding
Collection, Contribution The Andy Warhol
Foundation for the Visual Arts, Inc.
[erster Versuch einer variablen Linie]

Eleanor Simon[10] eine enge Freundin, die ihm bei seiner Schwäche in schriftlichen und theoretischen Aufgaben hilft, die ihn irgendwie immer beschützt, aber auch auf dem Weg in die Selbständigkeit anspornt, mit der er über seine Zweifel, seine Zukunftspläne und persönlichen Probleme sprechen kann, wann immer er will.

Warhol gehört jetzt zu einer Clique, die sich schwärmerisch ihre gemeinsame künstlerische Zukunft in New York ausmalt. In diesem Freundeskreis ist Warhols engelhaftes Wesen akzeptiert, und man hält seine versponnene Zurückhaltung für einen Teil seines elfenhaft-exzentrischen Verhaltens. Als Semester-Abschlußarbeit reicht er im Frühjahr 1949 ein autobiographisches Bild ein, das in der Jury, zu der auch George Grosz gehört, auf Ablehnung und Bewunderung trifft. Während Grosz und andere die Arbeit »The Broad Gave Me My Face, but I Can Pick My Own Nose«[11] für ein bedeutendes Werk halten, lehnt es die Mehrzahl der Jurymitglieder als ›Skandal‹ und ›Zumutung‹ ab. In einer Ausstellung der abgelehnten Werke wird es schließlich erst zum notorisch bestaunten Spektakel, an dem Warhol Gefallen findet.

Mag sein, daß sich Andy Warhol während seines Studiums und den ersten Jahren in New York in seinen Attitüden und Bekenntnissen zu Cocteau und Matisse hingezogen fühlte, zu Duchamp, Grosz und Ben Shahn, zu Paul Klee wahrscheinlich, aber auch gleichzeitig zu Greta Garbo und Truman Capote. In seiner verletzlichen, beinahe kindlichen Naivität absorbierte er alles wie eine notwendige Therapie gegen das Außenseitertum oder die Einsamkeit, die er so sehr aufgeben wollte und doch nicht aufgeben konnte. Im Sommer 1949 bedeutete das neue Leben in New York die Befreiung aus der provinziellen Enge Pittsburghs und die Einlösung jenes Anspruchs, ›Künstler‹ in der amerikanischen Metropole der Kunst zu sein. Nur vergessen konnte Warhol Pittsburgh nicht, denn er schrieb seiner Mutter von nun an beinahe täglich auf einer Postkarte, daß es ihm gutginge und daß er am nächsten Tag wieder schreiben werde.

Irgendwann während seiner letzten zwei Semester am Carnegie Institute hatte Andy Warhol mit einer Methode experimentiert, die dem Strich seiner Zeichnungen einen unverwechselbar improvisierten Ausdruck verlieh und zugleich den Eindruck eines gedruckten Originals erweckte: »Ich wollte immer feststellen, wie meine Zeichnungen gedruckt aussehen würden«,[12] hat Warhol Jahre später selbst dazu erwähnt. Es ist gesagt worden, daß Andy Warhol bereits damals, während seiner Studienzeit, das zeichnerische Werk Ben Shahns kannte und bewunderte und daß er in seinen eigenen Arbeiten dem Effekt der sogenannten ›variablen Linie‹ Ben Shahns nahekommen wollte. Aber es ist auch gesagt worden, daß er seine improvisiert wirkende Technik eher zufällig durch den Gebrauch von Löschpapier entdeckte und dann weiterentwickelte oder daß er aufgrund seiner schwierigen finanziellen Situation nur mit den billigsten Papieren arbeiten konnte, auf denen die Tinte sofort verlaufen sei. Zweifellos ist der Hinweis Rainer Crones[13] auf Ben Shahns zeichnerisches Werk von Relevanz, denn die Affinität ist unübersehbar. In den wenigen publizierten Zeichnungen, die aus der Zeit in Pittsburgh erhalten sind, fallen die scheinbar lapidar gebrochene Fragmentation und der Rhythmus der Lineatur auf, es überrascht der Verzicht auf tonale Werte; Attribute, die wir auch in den Federzeichnungen Ben Shahns als eine bewußt ›reproduziert‹ wirkende Improvisation der Wirklichkeit lesen. Philip Pearlstein,[14] einer der sichersten Zeitzeugen, hält daran fest, daß Andy Warhol, »interessiert an Variationen«, selbst zu seiner eigenwilligen Technik gefunden hatte. Pearlsteins Erinnerungen finden indirekt Bestätigung in wenigen Bleistiftzeichnungen, in denen Warhol einen schraffurartigen Zickzack-Modus für die Kontur der Linie anwendet, die ständig neu, unterschiedlich intensiv, oft bewußt wieder neben dem Strich ansetzt und in ihrer irritierenden Fragmentation ungemein lebendig wirkt. Zweifellos handelt es sich bei diesen Zeichnungen um eine Vorstufe seiner neu entdeckten Technik: So zeichnete Warhol das Motiv zuerst mit Bleistift auf wasserresistentes oder stark gestrichenes, saturiertes Papier. Anschließend zog er die Konturen mit einem Federhalter in Tusche oder Tinte nach; die Tusche haftete auf der Oberfläche des Papiers ohne einzusinken. Der so nachgezogene Umriß stellte das erste ›Original‹ dar, auf das anschließend ein absorbierendes Aquarellpapier geklappt wurde, so daß die Zeichnung nach und nach als Abdruck noch einmal als das ›gedruckte Original‹ entstand, um das es Andy Warhol eigentlich ging.

Durch das wiederholte Ansetzen des Federhalters veränderte sich jedesmal die Stärke und Intensität des Tuschauftrages und damit auch die Präsenz und die Flüssigkeit der Linie. Der Eindruck einer gebrochen-irregulär stockenden, irgendwie sporadisch auslaufenden, aber spontan entstehenden Kontur gewann im reinen Transferprozeß noch jene zusätzlich gewünschte ›Druckqualität‹ durch die unterschiedlich vor-

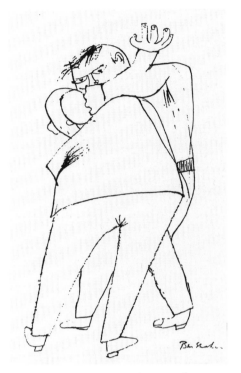

Ben Shahn: »Ohne Titel«, 1953. Privatsammlung [die variable Linie Ben Shahns, die Andy Warhols Entwicklung beeinflußte]

Ben Shahn: »Ohne Titel«, 1947. Privatsammlung

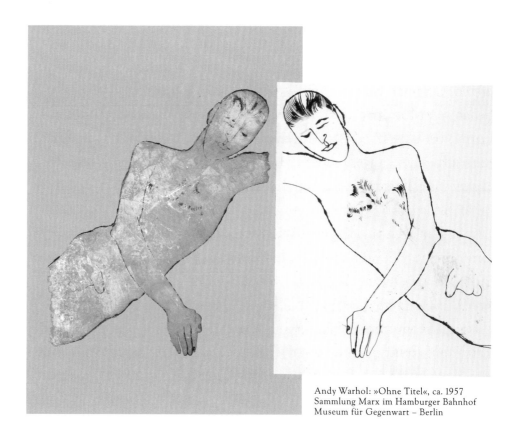

handene Tuschmenge und die wechselnde Absorbtionsfähigkeit des verwendeten Papiers. Im Grunde hatte Warhol damit die Technik der Monotypie in einer vereinfachten Form um den Effekt des Zufälligen bereichert. Das Akzidens, das er gefunden hatte, verstärkte nur jene Dichotomie zwischen der Handschrift des Zeichners und ihrer gesuchten Entfremdung im naiven, leidenschaftslosen Druckverfahren. Manche dieser so entstandenen Zeichnungen verweigern jede Form der subjektiven Empfindsamkeit und vermitteln den Eindruck einer anonym-illusorischen Variation, deren Ursprung ein transitiver Vorgang war. Und in manchen dieser Zeichnungen zeigt sich das Sujet als jene nur auf das Sichtbare bezogene Empfindung wie in auffallender Kongruenz zu einer stilisierten Transkription.

Andy Warhol mag die Entdeckung des ›gedruckten‹ Originals und seine möglichen multiplen Zustände und Verwendbarkeiten als Synonym emotiver Distanziertheit willkommen gewesen sein; zweifellos eine ideale Voraussetzung für einen Künstler, der auf dem Weg war, die Herstellung des Tafelbildes zu revolutionieren und in einem langen Arbeitsprozeß schließlich der unpersönlichsten virtuosen Technik als Methode Authentizität zu verleihen. Für seine Werbeaufträge erweist sich das Umdruckverfahren durch die Variationsmöglichkeit und Wiederholbarkeit singulärer oder komplexer Vorlagen als geeignetste Methode.

So konnte man Photovorlagen, Bildausschnitte aus Magazinen und Büchern mit eigenen Entwürfen und ›gefundenen‹ Motiven zu einem ersten Original wie in einer Rohcollage ›verbinden‹ und in beinahe beliebigen Mustern reproduzieren. Offenbar war Andy Warhol an jeder Form von Übertragung oder ›Inbesitznahme‹ gefundener Vorlagen bereits seit jenen Tagen seiner Kindheit interessiert, als er aus Comic-Heften und Illustrierten ausschnitt, was er für sich behalten wollte. So berichtet Victor Bockris,[15] wie Andy, während er im Alter von acht Jahren Collagen aus Comic-Heften bastelte, von seinem Bruder Paul lernte, ein ›Image‹ aus einem Heft auf ein neutrales Papier zu übertragen, indem er die Oberfläche der Reproduktion mit Wachs bestrich und das Image mit einem Löffel von der anderen Seite durchrieb und nur noch die Konturen nachzuziehen hatte. Jetzt, Jahre später, konnte eine Zeichnung nun eigentlich auch konsequenterweise von Dritten ausgeführt werden, und der Arbeitsprozeß ließ sich entpersonalisieren und effizienter gestalten.

Es zeigt sich in den frühen Werken Andy Warhols bereits die unausgesprochene Bereitschaft zu mechanischen Verfahren – manischer Ausdruck einer psychisch distanzierten Zurückhaltung oder einer Form der individuellen Verweigerung. Alles in diesen Arbeiten wehrt sich gegen die Sprache der Zeit, der gestischen Modi des abstrakten Expressionismus. Die ideomotorische Handschrift der ausdrucksvollen Geste, ja die Projektion reiner Empfindung wird durch eine graphische Idiomatik ersetzt, die mit dem Fortschreiten der Zeit immer energischer das Faktische wie das Profane anzieht. Erst viele Jahre später wird Warhol selbst die Darstellungsinhalte als die ›Oberfläche‹ seiner Bilder bezeichnen und eine bis heute nicht abgeschlossene Diskussion über die Bild- und Abbildrelation seiner Werke einleiten. Niemals offenbar hat dieser Künstler, auch nicht in diesen ersten schwierigen Jahren in New York, seiner introvertierten, sensualistischen Disposition in leidenschaftlich sinnlichen Ausdrucksformen eine Entsprechung geben wollen. Statt dessen sehen wir eine Bereitschaft zur dinglichen Verdeutlichung realer Elemente, zur unausgesprochen persönlichen Distanz, die der psychischen Transformation des Motivs aus dem Wege geht. Während die Art-Direktoren der Zeitschriften, für die Andy Warhol arbeitete, den ephemeren Charakter der fragmentarisch-gebrochenen Linie bewunderten, der seiner Bildsprache jenen in der Werbung gewollten, singulären, suggestiv-unschuldigen Effekt verlieh, war Warhol sich dieser Wirkung bewußt. Er ahnte zumindest, daß der Erfolg seiner Arbeiten auf dem graphischen Code eines Darstellungsmusters beruhte, dessen kalkulierte Improvisation die faktische Qualität des Sujets steigerte. Jede Form zu sinnlich-passionierter Auseinandersetzung oder emotionaler expressiver Aussage scheidet für Warhol offenbar aus. Seine Darstellungen erfinden sich ihren Spielraum des Gestaltsehens ohne Emphase; sie erfinden zwar Variationen stilistischer Modalitäten, aber das Zeichnen konzentriert sich auf Facetten und Synthesen nüchtern distanzierter Vorstellungen. So auffällig passiv steht sich der Künstler jeder verschlüsselten Aussage selbst im Weg, daß nur die Faszination der thematischen Wiederkehr als Rätsel bleibt.

Schon während der ersten zwei Jahre in New York gelang es Andy Warhol, so viele Werbeaufträge zu erhalten, daß sich seine finanzielle Situation verbesserte. Aus Andrew Warhola, seinem Geburtsnamen, wurde Andy Warhol: Bereits in Pittsburgh hatte er auf Anraten seiner Freundin Eleanor Simon aus seinem Vornamen André gemacht, »weil es sich«, so Eleanor, »interessanter und mehr nach Künstler anhören würde«;[16] jetzt fand er eine endgültige Fassung, indem er aus André Andy machte und das ›a‹ am Ende von Warhola strich.[17] Bereits im Frühherbst 1949 hatten Warhol und Pearlstein ihre erste Dachgeschoßwohnung am St. Mark's Place wieder aufgeben müssen und waren in Chelsea als Untermieter in einen einzelnen Raum eines größeren Lofts über einer Garage gezogen. Nur die Küchenschaben waren auch hier nicht neu. Und später erinnerte sich Warhol an jenen beschämenden Augenblick, als man ihn im Büro der Redaktion von *Harper's Bazaar* aus lauter Mitleid einen Auftrag gab, weil beim Öffnen einer Mappe mit Zeichnungen eine Küchenschabe über die Blätter lief. Den neuen, wirklich miserablen Raum auf der 21. Straße zwischen der Achten und Neunten Avenue hatte Francesca Boas,[18] eine Tanztherapeutin, gemietet, und zwischen Warhol und Boas, die mit verhaltensgestörten Kindern arbeitete, entstand in den nächsten Monaten eine Freundschaft, die in Andys Entwicklung von Bedeutung war. Boas ermutigte ihn, seine schüchterne Zurückhaltung vor jeder Art von Beziehung aufzugeben und sein Desinteresse an Bindungen zu überwinden. Sie wollte ihn dazu bringen, von sich aus, selbst, vollkommen offen auf Menschen zuzugehen. Auch Victor Bockris schreibt in seiner Biographie »The Life and Death of Andy Warhol«, daß aus Andrew Warhola in einer langsamen Metamorphose Andy Warhol wurde.[19]

Offenbar lebte Andy Warhol in einer Form von Einsamkeit, deren äußere Chiffren er sich in seinem scheinbar hilflosen, bewußt Mitleid erregenden, jungenhaften Auftreten selbst erfunden hatte, unter deren Wahrheit er aber auch zugleich litt; seine leicht zerschlissene Kleidung aus Khakihosen und weißen Hemden wechselte er selten, doch verbarg sich hinter dieser Attitüde eine Haltung, die stets Aufmerksamkeit auf sich ziehen wollte.

Sein Einzelgängertum kompensierte er durch Arbeit, die sich Nacht für Nacht fortsetzte, oder er suchte die Unterhaltung anderer: »Unterhalt' mich«, soll er seinem Kommilitonen Arthur Elias [20] während seiner Studienzeit bei einem Spaziergang über den Campus plötzlich aus heiterem Himmel zugerufen haben. Das Alleinsein in der Gegenwart anderer war offenbar bereits damals für Warhol zur großen paradoxen Metapher seines Lebens geworden, die dann in den sechziger Jahren wie ein unsichtbar unendlicher Abschied aus allen emotionalen Bindungen mehr und mehr von ihm Besitz ergriff. [21] Im April 1950 mußte Warhol erneut die Wohnung wechseln, da der Vermieter allen Bewohnern des Lofts gekündigt hatte. Warhols nächste Station wurde die Zweizimmer-Kellerwohnung einer Künstlerkommune, deren Hauptmieter der Ballett-tänzer Victor Reilly war. Das chaotische Leben in dieser Wohnung – Warhol arbeitete an einem kleinen Tisch neben den ewig ungemachten Matratzenlagern seiner Mitbewohner – hielt er bis zum Ende des Jahres aus, um dann anschließend in immer neuen, wechselnden Wohngemein-schaften, die er per Zeitungsannonce fand, mit fremden Leuten zusam-menzuleben. »Es zog ständig irgendwer ein und wieder aus«, schrieb Warhol später, »aber es teilte niemand wirklich Probleme mit einem anderen, niemand hat sich je um meine Sorgen gekümmert; wir wa-ren jeder für sich in einer Zweckgemeinschaft, die sich die Miete teilte, mehr nicht«. [22] Ende 1951 oder wahrscheinlicher im Sommer 1952 war vollkommen überraschend seine Mutter Julia in New York erschienen. Sie stand vor der Tür der Zweizimmer-Erdgeschoßwohnung, die Andy Warhol jetzt zum ersten Mal für sich allein auf der östlichen Seite der 75sten Straße unter der Third Avenue-Hochbahn gemietet hatte. Seine Mutter war gekommen und erklärte, nun fortan bei ihm zu bleiben. Offenbar hatte sie aus seinen unaufhörlichen Wohnungswechseln geschlossen, daß es ihm nicht gutgehen konnte, daß er sie brauchte, oder sie hatte für sich in Pittsburgh keine Aufgabe mehr gesehen. [23] Julia Warhola blieb schließlich zwei Jahrzehnte(!) und kehrte erst Anfang der

A report of crime
in America in 1951
—documented with
tape recordings
from back rooms
and front offices of
the underworld.

33⅓ RPM, LONG PLAYING

"THE NATION'S NIGHTMARE"

This record presents
two of a series of
six memorable broadcasts
heard by millions
during the summer of 1951,
over the facilities of
the CBS Radio Network:

Andy Warhol: »The Nation's Nightmare«, 1951
Illustration einer Schallplattenhülle für
CBS, Privatsammlung

siebziger Jahre nach Pittsburgh zurück. Auf der 75sten Straße teilten
Mutter Warhola und Andy in einer schmutzigen Wohnung ein Schlaf-
zimmer, während Andy auf einem Küchentisch Platz für seine Arbeit
fand. Fortan lebte Warhol in jenem Paradox, daß er in der Gegenwart
seiner Mutter wieder sein konnte, was er nicht mehr sein wollte: Mit
Julia Warhola blieb auch die Erinnerung an Pittsburgh und jenes
Bewußtsein von Armut, das ihn wie ein Menetekel niemals losließ. In
den Magazinen *Glamour*, *Vogue*, in *Harper's Bazaar* und *Interiors* waren
seine gebrauchsgraphischen Arbeiten jetzt bereits ziemlich regelmäßig zu
finden; er arbeitete für die Sonntagsbeilage der *New York Times*; für
Stücke von Giraudoux hatte er Illustrationen gezeichnet; er gestaltete
Schallplattenhüllen und Bucheinbände und er zeichnete Schuhe wie nie
jemand vor ihm. Für das Radioprogramm ›The Nation's Nightmare‹
hatte er die aufsehenerregende Zeichnung für eine Schallplattenhülle
entworfen, die am 13. September 1951 auch als ganzseitige Anzeige in
der *New York Times* erschien. Andy Warhols Arbeit zeigt einen heroin-
spritzenden jungen Seemann und sie symbolisiert in der Auseinandersetzung zweier Männer die sozial-psychologischen Abhängigkeiten des
gewalttätigen, kriminellen Beschaffungsmilieus. Es gab keinen Auftrag,
den Warhol je ablehnte, nie hielt er auch nur das kleinste Angebot
für bedeutungslos oder uninteressant. Statt dessen machte er von vielen
Entwürfen gleich mehrere Versionen; damit konnte er den Redakteuren
das Gefühl vermitteln, an der Idee ›mitgearbeitet‹ und die Auswahl selbst
getroffen zu haben. Er gab jedem Auftraggeber das Gefühl, nur für ihn

dazusein, für ihn allein zu arbeiten. Sein Name tauchte immer häufiger neben den Werbebildern in Mode- und Gesellschaftsjournalen auf. Das Leben in New York war zu Anfang der fünfziger Jahre für Warhol auch gleichbedeutend mit dem Beginn des sich abzeichnenden kommerziellen Erfolges. Er konnte es sich leisten, nun auch seinen eigenen Arbeiten größere Aufmerksamkeit zu widmen, denn er hatte angefangen, seine professionelle Arbeit als Illustrator gelegentlich mit Assistenten zu teilen. Gewöhnlich machte Warhol für einen Auftrag eine Vorzeichnung mit Bleistift, von der dann ein Mitarbeiter in dem bekannten Tusche-Umdruckverfahren ein ›Original‹ herstellte, das für weitere ›Originale‹ als Vorlage diente oder nach Anweisungen Warhols auf Buntpapier übertragen, collagiert oder aquarelliert werden konnte. Sein zweiter Assistent, Nathan Gluck, war bereits wöchentlich zu festen Zeiten anwesend und übernahm sehr selbständig auch die Ausführung von Vorzeichnungen einzelner Details oder die Gestaltung von Layout-Entwürfen. Andy Warhol überwachte die Arbeiten, nahm, wenn erforderlich, Korrekturen vor, bis die Zeichnungen mit seinen Vorstellungen übereinstimmten. Wahrscheinlich konnten sich seine Assistenten sehr gut auf seinen Stil einstellen, denn er war meistens zufrieden; er akzeptierte Fehler oder kleinere Schwächen, solange die Wirkung der Darstellung dem Kaleidoskop seiner Realisierungsabsichten entsprach.

Bis weit in die zweite Hälfte der fünfziger Jahre experimentiert er nicht nur mit dem eigenen ›Umdruckverfahren‹, das er virtuos beherrscht und damit jeder Linie eine eigene Qualität geben kann. In einigen Zeichnungen löst er die Fragmentation der Kontur bis in feine, sich punktförmig konstituierende Striche auf, um sie in anderen Blättern als breitere ›verlaufende‹ Pinselspur einzusetzen. In seinen Collagen geht es nie um die symbolische Konnotation unterschiedlicher Materialien, sondern um pragmatische Wechselbeziehungen und dekorative Konstanz. Der Aspekt des Additiven und Seriellen, die Lösung, die aus der zweidimensionalen Vorlage gewonnen werden kann, überwiegt. Für Schmetterlinge und Blüten, für Sterne, Monde, Engel und Sonnen, für Vögel, Erdbeeren, Muscheln und Herzen schneidet er sich Stempel aus Balsaholz und weichem Radiergummi und verfügt damit über ein ganzes Arsenal von Piktogrammen. Für die Akzentuierung einer räumlichen Anatomie benutzt er rechteckig oder quadratisch geschnittene Stempel zur schematischen ›Schraffur‹, deren Dichte er ausschließlich durch die Menge der Stempelflüssigkeit variiert. Der Gebrauch der Stempel

Andy Warhol: »Ohne Titel«, 1955
Sammlung Marx im Hamburger Bahnhof
Museum für Gegenwart – Berlin

animiert zur Repetition und Variation! Zweifellos entstehen in den ironischen Produktionsmethoden dieser Jahre bereits all jene mechanischen Paradigmen, die in Matrizen und Schablonen, die später in Siebdrucken in höchst vollkommener Form zur emotionslosen Registratur des Lebens werden.

Für Warhol bedeutete die Beschäftigung eines Assistenten die Möglichkeit, noch mehr Werbeaufträge anzunehmen. Sie bedeutete aber auch eine neue Erfahrung. Während er im Medium der Ausführung eine größtmögliche Distanz zur ›persönlichen, reflektierenden Handschrift‹ gesucht und gefunden hatte, entstand durch die Beschäftigung von Assistenten eine zusätzliche Distanz zur Ausführung der Arbeit, die sich in den folgenden Jahren immer ausgeprägter zeigen sollte.

Sicher bewahrten sich seine nichtkommerziellen, ›privaten‹ Zeichnungen dennoch bis in die beginnenden sechziger Jahre jene Antinomie aus beharrlich-unschuldig behaupteter Naivität, der Variation weniger Grundformen und einem freien, ›handschriftlichen‹ Illustrationsstil, der die Wirkung des Szenischen akzentuierte. Die Zeichnungen verbindet ein unausgesprochen narrativer Kontext romantisch-verspielter Ikonologie, die sich wie das Amalgam der wiederholten Bildthemata einstellt. Die Diskrepanz zwischen scheinbar verweigerter Sinnlichkeit und kalkulierter Konzeption hat dieser Künstler nie aufgehoben, denn zweifellos hat Warhol stärker als jeder seiner Zeitgenossen in den frühen Jahren die wechselseitigen Affinitäten zwischen der Auftragsarbeit und der freien Gestaltung erfahren, aber keinen Unterschied mehr machen wollen. Es überrascht die ungeheure Leichtigkeit selbst in den Portraitzeichnungen, die mit dem Kugelschreiber Konturen umschreiben und beinahe klassische Linienstrukturen entwickeln. Hier findet Andy Warhol zweifellos seine größte Nähe zu Matisse, den er bewundert, auch wenn der Gefühlseindruck seiner Zeichnungen dem historischen Vorbild nicht folgt. Was wir in den Strichzeichnungen von Henri Matisse als psychographische Aussage empfinden, kann in Warhols Zeichnungen ohne diesen existentiellen Grund sein; weniger enigmatisch. In den vielen Portraitzeichnungen junger Männer deutet sich jedoch eine Hinwendung zum zentralen Motiv an, auch zur Vereinfachung, in der die Wechselbeziehung zur räumlichen Darstellung oder Akzentuierung auf ein Minimum reduziert wird oder ganz fehlt. In ihrer Reduktion vermeiden diese Portraits jede Imagination des Gleichnishaften. Nur

Andy Warhol: »Ohne Titel«, 1956
Sammlung Marx im Hamburger Bahnhof
Museum für Gegenwart – Berlin

die gleichbleibend leere Binnenstruktur in ihrem Verzicht auf Licht-
modulation, Tonalität und häufig auch auf Körperlichkeit scheint im
Wesen dieser Zeichnungen bei Matisse und vielleicht an den ›klassi-
schen‹ Zeichnungen Picassos aus den frühen zwanziger Jahren studiert.
Aber während Matisse die Abbreviaturen der reinen Konturierung als
Metapher der rätselhaften Andeutung dienen, und Picasso in ihnen auch
die Zwiesprache mit der mediterranen Formenwelt der Antike liest, ist
die gleiche Reduktion in den Zeichnungen Warhols kein Psychogramm,
sondern eine affektive Verschmelzung seiner Beziehung zum Motiv. Und
dennoch haben Warhols Männerportraits den Charme erotischer Phantasie, weil sie das Unerklärbare ihrer verborgenen oder offenen Bezogen-
heit ansprechen. In diesen vielen Zeichnungen, für die Warhol immer
neue Freunde oder Bekannte als Modelle dienten, sehen wir auch in
den Spiegel seines damaligen Lebens; sie gehören vielleicht zu den
poetischsten Zeugnissen seiner Arbeiten aus den fünfziger Jahren. Die
Portraitstudien von Ralf Thomas Ward, Alfred Carlton Willers, von
John Butler und später von Charles Lisanby evozieren die platonische
Bedeutung, in der nur der Zeichner sein Modell romantisiert. Der
Betrachter ahnt, daß die Anspielung und die Phantasie der Aneignung
immer ein und derselbe paradigmatische Sinn sind, weil des Zeichners
leidenschaftliches Bekenntnis eben auch nur in der tatsächlichen Physis
des Abbildes existieren kann.

Andy Warhol: »Ohne Titel«, 1956
Sammlung Marx im Hamburger Bahnhof
Museum für Gegenwart – Berlin

Nie ist aus den romantischen Freundschaften zwischen Warhol
und seinen Modellen eine auch nur annähernd andauernde erotische
Beziehung geworden; wahrscheinlicher ist, daß es jene erotische
Beziehung so gut wie nie gegeben hat. ›Freundschaften‹ mögen aus vielen
Gründen eher dazu beigetragen haben, die Distanz zwischen sich
und anderen aus Unerfüllbarkeit zu vergrößern. In manchen dieser
Zeichnungen entsteht eine Affinität, die wir in den Portraits von Jean
Cocteau wiederfinden; jene Studien, die er in den frühen zwanziger
Jahren von seinem Freund Raymond Radiguet machte: eine statuarische,
fast schwerelose Poesie der pointierten Umrißzeichnung. Warhols Zeich-
nungen, überwiegend mit dem Kugelschreiber als reine Lineaturen
ausgeführt, bezaubern durch ihre unfehlbare, aber auch leicht wirkende
Kontur, die ihn als ungemein sicheren, ja brillanten Zeichner zeigt.
Die Autorität seiner Inszenierungen verblüfft durch ihr realistisches
Lineament und die präzise Proportionalität. Beim Betrachten dieser
Zeichnungen stellt sich erneut die Frage, warum aus der reinen Kontu-

rierung keine neuen Lösungsversuche im Erproben der Schattierung, Tonalität, der Lichtwerte und Modellierung entstehen, warum kein neues Formenvokabular durch Schraffur, Lavierung und Farbe gesucht wird. Es überrascht die Hermeneutik der stilistischen Anthologie; aber auch sie wird sich zwar verändern, aber nicht wirklich anders ›sein‹.

Im Frühsommer 1952 hatte Andy Warhol seine erste Einzelausstellung in Manhattan. Die Hugo Gallery[24] auf der Madison Avenue, eine Galerie, in der auch junge, unbekannte Künstler gezeigt wurden, stellte 15 großformatige, kolorierte Zeichnungen aus, die nach der Lektüre von Texten Truman Capotes[25] entstanden waren. Verkauft wurde in dieser Ausstellung kein Blatt, aber zweifellos war für Andy Warhol die Tatsache, daß sich Truman Capote die Ausstellung zusammen mit seiner Mutter angesehen hatte, der erträumte Erfolg: denn es war Capote, dem er seit seiner Studienzeit in Pittsburgh und dann auch später in New York ständig (nie beantwortete!) Verehrerbriefe geschrieben hatte. In Capote hatte Warhol sein Idol der noch unerreichbaren Berühmtheit gefunden. Truman Capote entsprach dem Bild des erfolgreichen, umschwärmten, anerkannten jungen Künstlers, der als Autor eines ersten Buches in aller Munde war, der blendend aussah, der sich sogar offen zu seiner Homosexualität bekennen konnte. Für Warhol muß diese anhaltende Verehrung eine eigentümliche Erfahrung gewesen sein, die ihm deutlich vor Augen führte, wie sehr seine eigenen Männerfreundschaften nur sporadische Bekanntschaften blieben. Und wahrscheinlich litt jede seiner Beziehungen unter den eigenen Komplexen, mit denen er sich eingestand, »so schrecklich unattraktiv zu sein«, oder jenem Mythos des Voyeurs, der in Wahrheit die Wirklichkeit durch die Erfahrung anderer als die eigentliche Realität sehen wollte. Vielleicht begann er bereits damals einfach aufzugeben, eine wirkliche Beziehung einzugehen, die er sich wünschte und doch nicht haben wollte. »Er vergrub sich, während Fernseher und Radio gleichzeitig liefen, in Arbeit«, berichtet Philip Pearlstein aus der Zeit, die er mit Andy Warhol in New York verbrachte, und gegen das Alleinsein suchte er die Zerstreuung im täglichen spätabendlichen Ausgehen, in Kinobesuchen und der Gesellschaft möglichst attraktiver, gutaussehender junger Männer.

Irgendwann im Jahre 1953 begann Andy Warhol auch seine eigenen künstlerischen Arbeiten, die er seit einiger Zeit häufig nur als Geschenke für Werbeleiter und Art-Direktoren, für Verleger und einflußreiche

Redakteure anfertigte, als Album oder gebundenes Buch im Offset-Verfahren in kleinen Privatauflagen drucken zu lassen. Ein erstes dieser ›Präsentationsbücher‹ hieß »A Is an Alphabet«.[26] Es entstand 1953 in Zusammenarbeit mit dem Dichter und Künstler Ralph Ward, den Andy Ende 1951 eines Abends kennengelernt hatte. Zu den kurzen, aphoristischen ABC-Texten von Ward für jeden der 26 Buchstaben des Alphabets fertigte Warhol je eine Zeichnung. In ihrem spielerischen, oft nur zweidimensionalen, äußerst zarten, angedeuteten Portraitstil erscheinen sie wie Studien wechselnden Ausdrucks der Physiognomie und Silhouette. Die extrem leichte, durchbrochene, entmaterialisierte Linienführung scheint wie ein Spiel mit der Transparenz des Raumes, in dem diese Silhouetten schemenhaft auftauchen. Und so läßt sich zwischen dem Text Wards, der in seiner Diktion eher für Kinder geschrieben war, und Andy Warhols Illustrationen kaum ein Bezug herstellen. Für ein zweites, unveröffentlicht gebliebenes Buch, das sich »There Was Snow on the Street and Rain in the Sky«[27] nannte, hatte ebenfalls Ralph Ward die Texte verfaßt. Warhols Strichzeichnungen ähneln in ihrer reduzierten Kontur jenen des ersten Albums. Die Linie erscheint wie ein statischer Aufriß aus der Erinnerung und dennoch suggerieren diese Portraits und Silhouetten mit ihrem klar definierten Ausdruck Reminiszenzen einer literarischen Vorlage. Erst in einem dritten gemeinsamen Buch mit dem phantasiereichen Titel »Love Is a Pink Cake«,[28] das im gleichen Jahr gedruckt wird, ändert sich der Typus der Illustrationen. Warhols Zeichnungen projizieren die heiteren, banal-historischen ›Reime‹ Wards in ihrer arabesken Nonsense-Phantasie als Karikatur und Parodie noch einmal. Die Direktheit dieser Szenen-Auftritte gleicht der spielerisch-amüsanten Wirkung von Maskeraden oder Kostümstudien für eine Bühnenwelt.

Im Sommer dieses Jahres war Andy mit seiner Mutter in eine etwas größere Wohnung an der Lexington Avenue umgezogen. Das Apartment wurde von einer ständig wachsenden Schar Katzen dominiert, die sich im Laufe der Zeit um Warhols Mutter Julia versammelt hatten. Jeder Besucher wunderte sich über das tolerierte Chaos, das die Katzen in der gesamten Wohnung anrichteten, über das Chaos, das sie zwischen Andys Zeichnungen anrichteten und über den unbeschreiblichen Geruch. Im Herbst 1954 wurden sie aber zum Szenario eines neuen Buches mit dem Titel »25 Cats Name(d) Sam and One Blue Pussy«.[29] Andy Warhols Mutter hatte allen ihren Katzen ein und denselben

Andy Warhol: Illustration aus dem Portfolio »A Is an Alphabet«, 1953. Privatsammlung

Andy Warhol: Lithographie aus dem Portfolio »Love Is a Pink Cake«, 1953. Privatsammlung

Andy Warhol: »Ohne Titel«, 1957
Sammlung Marx im Hamburger Bahnhof
Museum für Gegenwart – Berlin

Eine Zeichnung von Andy Warhols Mutter
Julia, ca. 1954. Privatsammlung Paris

Namen gegeben. Als Autor des Textes gab Warhol Charles Lisanby an, einen neuen Freund, der in der Folgezeit großen Einfluß auf ihn ausüben sollte. Lisanby hatte als Assistent bei Cecil Beaton gearbeitet und war jetzt als Bühnenbildner tätig. Er verkörperte jene Art gutaussehenden, jungen Mann, der Warhol wohl selbst damals gerne gewesen wäre. Als Vorlagen für seine Zeichnungen dienten ihm jedoch nicht die eigenen Katzen, sondern Photographien, die er wahrscheinlich, wie viele andere Vorlagen für seine Arbeiten, als ständiger Benutzer in der New York Public Library ausgeliehen hatte. Nach dem Druck der Zeichnungen im Offset-Verfahren lud Andy Freunde zum Kolorieren der Blätter ein, oder man traf sich zum Aquarellieren im Eiscafé Serendipity auf der 85. Straße östlich des Central Parks. Als Warhol entdeckte, daß die kindliche Handschrift seiner Mutter Julia in ihrer angestrengt kalligraphisch-ungelenken Schreibweise mit zusätzlichen orthographischen Schwächen die eigenen Zeichnungen wunderbar ergänzte, ließ er sie die Bildunterschriften schreiben. Schließlich fertigte Warhols Mutter ihre eigenen Katzenzeichnungen und in den folgenden Jahren wurde Julia Warhola immer mehr auch seine ›Mitarbeiterin‹ an vielen Projekten, die nicht nur Andy Warhols Signatur auf seine fertigen Arbeiten schrieb.

1955 war aus dem arbeitssuchenden, schüchternen jungen Mann, der sich 1949 entschieden hatte, in New York zu leben, einer der bestbezahlten und zweifellos bekanntesten ›kommerziellen‹ Künstler Manhattans geworden. Warhol ließ sich inzwischen von der Agentin Fritzie Miller vertreten und hatte vom elegantesten Schuhgeschäft New Yorks, *I. Miller*, hochdotierte Aufträge für eine Werbekampagne erhalten, die wöchentlich in der *New York Times* erschien. Diese Schuhzeichnungen Warhols machten ihn so bekannt, daß er beschloß, die unpublizierten Blätter, die in der Werbung keine Verwendung gefunden hatten, gerahmt im Serendipity-Café zum Verkauf auszustellen. In Andy Warhols früher Ikonologie wurden die Schuhe zu jenen Objekten, die ihn so magisch angezogen haben müssen wie die nackten Füße von Freunden und Bekannten, die er häufig skizzierte. Warhol zeichnet die Schuhe in immer neuen Variationen in einer geradezu rhetorisch diskursiven Manie. Er erprobt sie in allen Stilmodi und Formvarianten. Er akzentuiert ihre Wirkung im metaphorischen Gleichnis oder assoziiert bewußt die ironische Heiterkeit der Übertreibung; die Schuhe werden zur obsessiven Repetition eines Motivs. Er widmet ihnen 1955 ein gedrucktes, koloriertes Portfolio mit 14 Offsetdrucken, das er in Abwandlung des

Proustschen Titels »A la Recherche du Shoe Perdu«[30] nennt. Warhol
inszeniert sein Sujet in formalen und naiven, in subtilen und subversiven,
in historisierenden und symbolischen Formen, deren Syntax jedoch
immer ein und derselbe Fetischcharakter ist. Im Dezember 1956, nach
der Rückkehr von einer für ihn enttäuschend verlaufenen Weltreise, die
er im Sommer gemeinsam mit seinem Freund Charles Lisanby unter-
nommen hatte, zeigt er in der Bodley Gallery die ausgefallensten seiner
Schuhentwürfe. Warhol ›koloriert‹ die Binnenstruktur der Zeichnungen,
die wieder in jener Umdruck-Technik entstanden waren, mit aufgelegtem
(imitierten) Blattgold und geprägten Gold- und Silberornamenten:
Skurrile Blüten, Herzen, Paspeln, filigrane Bordüren, Sterne, Monde
und die symbolische Lilie der Bourbonen verzieren seine Schuhmotive
auf Goldgrund. Warhol erfindet für den einzelnen Schuhtyp die Konver-
genz des Charakterbildes einer Persönlichkeit und gibt den einzelnen
Blättern die ›Namen‹ berühmter Filmschauspieler oder Modegrößen:
James Dean, Julie Andrews, Mae West, Elvis Presley, Zsa Zsa Gabor oder
Helena Rubinstein. Die unausgesprochene Konnotation seines Motivs
jedoch muß jene erotische Metapher gewesen sein, die Warhol in jedem
Schuh sah, wie Rainer Crone in seinen Interpretationen hervorhebt.
Auch die suggestive, evozierende Objektsprache verkehrt sich in seinen
Zeichnungen in die Schrift einer manierierten oder banalen Ironie.

Die Schuh-Ausstellung in der Bodley Gallery wurde die erste Ausstellung Warhols, die auf einer Doppelseite des *Life*-Magazins Erwähnung findet; aber wahrscheinlich waren es diese »Golden Slipper«-Colla-
gen, die in Kunstkreisen New Yorks als Arbeiten eines jungen Künstlers
Beachtung, wenn auch zwiespältige Anerkennung fanden, während seine Ausstellung von erotischen Zeichnungen junger Männer im Februar

Andy Warhol: Titelblatt aus dem gebundenen
Buch »In the Bottom of my Garden«, 1956
Sammlung Marx im Hamburger Bahnhof
Museum für Gegenwart – Berlin

Andy Warhol: Lithographie aus dem gebundenen
Buch »In the Bottom of my Garden«, 1956
Sammlung Marx im Hamburger Bahnhof
Museum für Gegenwart – Berlin

Jacques Stella: aus »Spiele und Vergnügen der
Kindheit« [die Suite dieser Radierungen war zweifellos
Andy Warhols Referenz]

des Jahres 1956, ebenfalls in der Bodley Gallery, kaum auf das ernste Interesse der Kritik gestoßen waren – man hielt sie für allzu einseitige, narzißtische Darstellungen eines verspielten Sensualismus, die in ihrem Bekenntnis zu Matisse und Cocteau an ihren Vorbildern scheiterten. Noch immer wurde Warhol als Illustrator und Werbegraphiker gesehen. Es mag sogar sein, daß die Schuh-Ausstellung Andy Warhol selbst jenen Zwiespalt zwischen ›Hoher Kunst‹ und ›angewandter Auftragsarbeit‹ zum ersten Mal unmißverständlich bewußt machte. Es muß ihn nachdenklich gestimmt haben, daß das *Life*-Magazin seine Arbeiten als »Imagination über die Schuhmode mit dem Dekor von Pralinen-Schachteln«[31] bezeichnete, entstanden als »Hobby« eines »Werbegraphikers«.

Waren die Goldcollagen seiner Schuhzeichnungen in ihrer romantisch-stilisierten Metaphorik auch die naiven Objekte eines Begehrens, so spiegeln die Zeichnungen, die etwa gleichzeitig für das Buch »In the Bottom of my Garden«[32] entstanden, ihre erotischen Anspielungen vollkommen offen als reine, sinnliche Skriptur. Als Vorlage seines Illustrationszyklus' dienen Warhol zweifellos Jacques Stellas im 17. Jahrhundert publizierte Radierfolgen »Spiele und Vergnügen der Kindheit« (»Les jeux et plaisirs de l'enfance«), aber auch Grandvilles Publikation »Les fleurs animées«, während der Titel, wie David Bourdon anführt, auf das Anfang des Jahrhunderts in Amerika populär gewordene Lied »There Are Fairies at the Bottom of Our Garden« zurückgeht.[33] Warhol übernimmt die naiven Figurationen und Rollenspiele Stellas so exakt, daß sie wie moderne Übertragungen erscheinen, denen nur die Landschaft und der Hintergrund eines anderen Jahrhunderts fehlen. Seine Putti, Amoretten, Elfen und Cherubine scheinen wie in einem Pantomimenspiel im leeren Raum fixiert. Nur die erotische Konnotation, die androgynen Anspielungen verraten ihre eigentliche Aussage, die sich in der Arglosigkeit einer kindlichen Vignetten-Szenerie relativiert. Selbst im Kontext seiner Arbeiten, mit denen sich Andy Warhol als Illustrator und ›kommerzieller‹ Zeichner entwickelte, wirken diese 21 Blätter im Spiel mit ihrer artifiziellen Gegenständlichkeit als naiv-karikierendes Panorama, in dem die Chiffren der Naivität einem schematischen Impetus unterliegen.

Und dennoch reflektieren die Illustrationen dieses Buches jenen paradoxen Zustand, in dem Warhol in den fünfziger Jahren lebte und arbeitete. Die Ästhetik des Trivialen und der Warenkonsum-Charakter eines schönen Scheins definierten die Phänomenologie seiner Arbeiten. Vergessen wir nicht, daß viele seiner Bücher als Geschenke für Auftraggeber und Freunde konzipiert waren, daß das Sujet seiner Zeichnungen folglich in einer bewußt unbefangenen Formenwelt suggestiver Ikonologie angelegt war. Wie ein roter Faden zieht sich die permanente Improvisation der bildnerischen Vereinfachung von Blatt zu Blatt.

Im Dezember 1957 präsentierte Warhol in seiner dritten Ausstellung in der Bodley Gallery Federzeichnungen auf Goldgrund zusammen mit weiteren Blättern, die für ein neues Buch mit dem Titel »A Gold Book by Andy Warhol«[34] vorgesehen waren. Der Umschlag des Buches zeigt einen Jungen in der typisch trotzig-lässigen Haltung James Deans aus dem Film »Denn sie wissen nicht, was sie tun«. Die reinen Umrißzeichnungen sind im Umdruckverfahren mit Tusche direkt auf dem collagierten Blattgold entstanden. Die Virtuosität, mit der Warhol diese Körperstudien und Portraits von ›Kindern der Straße‹ aus den verschiedensten Blickwinkeln und Perspektiven in stenographischer Reduktion ausführt, ist erstaunlich. Die Bildsprache, die Warhol, wie so häufig in seiner Vorliebe für zweidimensionale Vorlagen, aus den Photographien eines Freundes ›übertragen‹ hatte, ist so frei von Determinanten, als handele es sich um Atelierszenen oder die präzisen Reflexionen nach vorbereitenden, ausführlich erprobten Skizzenstudien. Ungemein sicher und pointiert agiert die Linie frei von ›imitierendem Zeichnen‹ und erreicht eine rare, kontemplative Intensität. Zweifellos gehören diese Zeichnungen zu den herausragenden Arbeiten der frühen Jahre, denn sie suggerieren das bildnerisch Erlebte als greifbare Unmittelbarkeit.

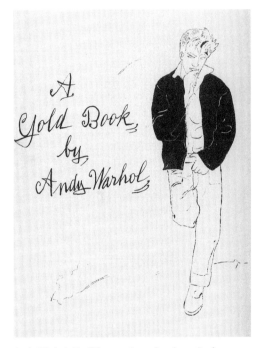

Andy Warhol: Titelblatt aus dem gebundenen Buch »A Gold Book by Andy Warhol«, 1957. Sammlung Marx im Hamburger Bahnhof Museum für Gegenwart – Berlin

Auch wenn diese Blätter nicht jene Aufmerksamkeit erfuhren wie die Ausstellung der goldenen Schuhe im Jahre zuvor, so erschließen sie doch viel klarer das Potential einer starken, lyrischen Selbstbehauptung und die Fähigkeit zur Symbiose. Zweifellos deuten wir diese Zeichnungen auch als kritisches Zwiegespräch in einer Zeit, deren Denkmodelle und deren Kritizismus künstlerische Einflüsse kühler Rationalität erlaubten, einer Zeit, in der schließlich auch der psychische Widerstand des abstrakten Expressionismus überwunden wurde. Andy Warhol wurde sich spätestens in diesem Jahr seiner ambivalenten Situation bewußt. Der mit Preisen ausgezeichnete Illustrator, der in der Welt der Mode und der Werbung als herausragender Zeichner galt und hier seine größte Beachtung fand, stand in der Entwicklung der zeitgenössischen Kunst abseits. Die Paradigmen einer neuen Bildsprache, die auf die Aporien Duchamps und Schwitters' einging, die auf die subtilen Alltagsmythen und die banale Ambiguität der Medien selbstsicher und revoltierend reagierte, zeigte sich zum ersten Mal in den Werken von Robert Rauschenberg und Jasper Johns. Die Dualität von Leben und Kunst sahen diese beiden Künstler als Konkretion von Strukturen, die nur im Aufbrechen der reglementierten Konvergenzen neu zu erfahren war.

In New York wurden schon im folgenden Jahr die ersten Werke dieser Künstler heftiger diskutiert als die Arbeiten de Koonings, Kleins oder Pollocks. Die Enkaustik-Malerei Johns' und die provozierenden ›Combine-Paintings‹ von Rauschenberg standen unvermittelt im Zentrum der Aufmerksamkeit. Für Andy Warhol konnte sich die erstaunliche Rezeption dieser Werke nur mit der Erkenntnis verbinden, selbst keine Antwort zu haben; im Gegenteil. Der erfolgreichste kommerzielle Künstler erlebte seine Arbeit als unauflösbaren Widerspruch: man zählte ihn in New York nicht zu den ernsthaften Künstlern. Seine ›Aufträge‹ vertieften fortan nur dieses Dilemma. Während es sein Einkommen ermöglichte, ein Stadthaus auf der Lexington Avenue zu kaufen, das er 1959 zusammen mit seiner Mutter bezog, stand ihm sein kommerzieller Erfolg jetzt auch zum ersten Mal als Makel im Wege. Während er weiterhin die Schaufenstergestaltung bei *Bonwitt Teller* besorgte, für *Tiffany* stilvolle Tisch-Dekorationen entwarf, für die Zeitschriften *Vogue, McCalls, Ladies' Home Journal*, die *New York Times* und andere arbeitete, für *I. Miller* noch immer Schuhzeichnungen anfertigte und neben seinen weiteren, zahlreichen festen Engagements heitere Geschenkpapiere entwarf, war Warhol beinahe verzweifelt auf der Suche nach einer Ikonologie, die ihn einreihen würde in jene Gruppe von Malern, die als ›Pop-Künstler‹ in Galerien und Museen Furore machten. So scheint der Kauf einer Zeichnung von Jasper Johns 1958, im Jahr zuvor, von geradezu symbolischer Bedeutung: Warhol hatte längst erkannt, daß die neue Malerei keine poetisch-subjektiven Denkbilder projizierte, sondern klare Botschaften und physische Entitäten der Außenwelt als Formenmotive gebrauchte, die in den Bildern Johns' zu enigmatisch isolierten Erscheinungen wurden, obwohl er die Identität seiner ›Vorlagen‹ nicht veränderte.

Wahrscheinlich verstand Andy Warhol weniger die Radikalität der neuen Malerei als künstlerische Praxis, die ihre präzise symbolische

Codierung aus der Verwendung der Bilder des Alltags bezog, sondern er sah, was jeder erkannte: die überzeugende Wirksamkeit eines banalen, alltäglichen Motivs. Die ›Flagge‹ von Jasper Johns faszinierte weniger als gemaltes Objekt, das den analytischen Diskurs über Bild- und Abbildbeziehungen neu provozierte, sondern weil sie eine Sprache der Gegenständlichkeit gefunden hatte, die Warhol ebenso beherrschte, ohne sie vorläufig in jener radikalen Konzentration auf das singuläre Motiv anwenden zu können. Während er die Leo Castelli Gallery jetzt regelmäßig aufsuchte und mit ungläubigem Staunen die überraschende Beachtung wahrnahm, die Rauschenbergs und Johns' Werke in der berühmten Ausstellung »Sixteen Americans«[35] im Museum of Modern Art fanden, arbeitete er zusammen mit Suzie Frankfurt an einem seiner ›Präsentationsbücher‹. Sie nannten ihr Buch »Wild Raspberries«,[36] und es wurde Andys letztes Portfolio. Die 20 überwiegend mit Dr. Martin's Dye-Wasserfarben aquarellierten, verschwenderisch dekorierten Rezepte, die Suzie Frankfurt erfunden, Andys Mutter in ihrer ›Schönschrift‹ geschrieben und Warhol gezeichnet hatte, wurden im Dezember 1959 in der Bodley Gallery als einzelne Blätter ausgestellt.

Andy Warhol: Lithographie aus dem Portfolio »Wild Raspberries«, 1959. Sammlung Marx im Hamburger Bahnhof Museum für Gegenwart – Berlin

Noch einmal wird die ›entwaffnende Naivität‹ (Crone) seiner Zeichnungen eines ganzen Jahrzehnts lebendig und wie zu einem Höhepunkt zusammengefaßt. Die heiteren, leuchtend kolorierten Offsetlithographien spielen mit der Suggestivkraft der Ironisierung und der Phantasie der Texte. Wie so viele der Arbeiten Warhols aus dieser Zeit sind sie in ihrer Einfachheit und Unschuld auch subtil provozierend. Ihre Schrift ist die der versteckten Subversion, die immer auch in seinen Werken die Travestie berührt, aber auch Bilder evoziert, die die Fiktion einer Kindheit herstellen, die es nicht geben konnte. Für diese Kindheit hat Andy Warhol ein Jahrzehnt lang paradigmatische Gesten erfunden, in deren Spiegel die Erinnerung die unsichtbarste und vielleicht doch bedeutendste Kontur ist.

Auf dem Weg in jene neue, noch nicht gefundene Wirklichkeit ›ernsthafter Künstler‹, nur noch Maler zu sein, erscheint das Portfolio »Wild Raspberries« wie ein letzter oder vorläufig letzter Umweg, denn die kommerzielle Kunst wird Andy Warhol noch lange nicht aufgeben: er wird Jahre später noch einmal zu ihr zurückfinden und sie sogar neu definieren. Aber irgendwann im darauffolgenden Jahr malt er eine kleine Gruppe von Bildern, in denen der Gegenstand kommentarlos die triviale

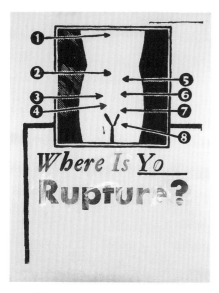

Andy Warhol: »Where Is Your Rupture?«, 1960
Sammlung Marx im Hamburger Bahnhof Museum
für Gegenwart – Berlin

Bildgegenständlichkeit gegen jede ästhetische Strategie behauptet. Diese schwarz-weißen Bilder exponieren die Realität als banale Kategorie. Warhols Arbeiten nehmen das Sujet der Alltäglichkeit genauer als Johns und Rauschenberg und irritieren durch wenige, fremd wirkende, expressive, zeichnerische Gesten die dargestellte Phänomenologie des Trivialen. Die Bilder markieren seinen zukünftigen Weg; und bei genauerer Betrachtung ist Andy Warhol nicht so unendlich weit entfernt von der Vergangenheit, die ihn nicht mehr einholen kann, aber er ist einen unendlichen Schritt in jene neue Richtung gegangen.

ANMERKUNGEN:

1 Zitiert nach Tina Fredericks in ihrer Einführung »Remembering Andy«, in Jesse Kornbluth, *Pre-Pop Warhol,* New York 1988, S. 9 ff.

2 Ebenda, S. 12.

3 Ebenda, S. 11.

4 Ebenda, S. 12. Siehe auch David Bourdon, *Warhol,* New York 1991, S. 29.

5 Siehe auch dazu Victor Bockris, *The Life and Death of Andy Warhol,* New York 1989, S. 44. Während Victor Bockris davon ausgeht, daß Andy Warhol bereits im September 1948, während seines ersten Besuchs in New York City, Tina Fredericks aufsuchte, schreibt Tina Fredericks in ihrer o. g. Einführung »Remembering Andy«, daß sie ihn in ihrem Condé-Nast-Büro im Graybar-Gebäude im Sommer 1949 zum ersten Mal traf. Bei Rainer Crone: *Die frühen Werke 1942–1962,* Stuttgart 1987, S. 52, finden wir den Hinweis, daß »Warhol zweimal jährlich nach New York gefahren sei und dort die Matisse-Retrospektive gesehen habe«. Hier findet sich auch der Hinweis auf den frühen Einfluß von Henri Matisse, für den Rainer Crone Philip Pearlstein zitiert.

6 Victor Bockris, a. a. O., S. 9 ff.

7 Ebenda, S. 12. Siehe auch David Bourdon, a. a. O., S. 17.

8 Zitiert nach David Bourdon, a. a. O., S. 21. Siehe auch G. R. Swenson, »What is Pop-Art? Answers from 8 Painters«, in *Art News,* Nov. 1963, S. 26.

9 Zitiert nach Andy Warhol: *The Philosophy of Andy Warhol (From A to B and Back Again),* New York 1975, S. 22 »I had a job one summer...«.

10 Victor Bockris, a. a. O., S. 31.

11 Siehe auch Patrick S. Smith: *Andy Warhol's Art and Films,* Ann Arbor 1986, S. 14. Den Titel, »The Broad...« hat Warhol für zwei Arbeiten gewählt: siehe Rainer Crone, a. a. O., S. 111 (Farbreproduktion einer Version). Siehe auch Kynaston McShine: *Andy Warhol. A Retrospective* [Ausst.kat.], The Museum of Modern Art, New York 1989, S. 12, Reproduktion der zweiten Version, S. 401. Bennard B. Perlman erwähnt in seinem Artikel »The Education of Andy Warhol«, in: Fannia Weingartner [Hg.]: *The Andy Warhol Museum,* Pittsburgh 1995, S. 164 f., daß Andy Warhol dem Bild »The Broad Gave Me My Face But I Can Pick My Own Nose«, nachdem es nicht akzeptiert worden war, einen neuen, auf die Ablehnung reagierenden Titel gab: »Why Pick on Me«. Mit diesem Titel wurde das Bild etwas später in der Gruppenausstellung des Arts and Crafts Center in Pittsburgh ausgestellt.

12 Zitiert nach Jesse Kornbluth, a. a. O., S. 48: »I always wanted to see how my work would look if it was printed«.

13 Siehe vor allem Rainer Crone, a. a. O., in dem Kapitel »Warhols Studienjahre an der Kunstschule«, S. 38 f., S. 44 f., S. 48 ff.

14 Philip Pearlstein war der etwas ältere Kommilitone und Freund Andy Warhols während der letzten zwei Jahre am Carnegie Institute in Pittsburgh. Er hat die künstlerische Entwicklung Warhols in diesen Jahren wohl besser als jeder andere Zeitzeuge beobachtet. Siehe auch Victor Bockris, a. a. O., S. 39. Siehe auch Philip Pearlstein in *Andy Warhol. A Retrospective* [Ausst.kat.], a. a. O., S. 419. Zur künstlerischen Entwicklung und Arbeit Andy Warhols in den fünfziger Jahren siehe auch *»Success is a Job in New York«* – The Early Art and Business of Andy Warhol [Ausst.kat.], Grey Art Gallery and Study Center, New York University, New York 1989.

15 Victor Bockris, a. a. O., S. 20 (Bockris zitiert Paul Warhola).

16 Zitiert nach Fred Lawrence Guiles: *Andy Warhol,* [dt. Ausgabe] München, 1989, S. 44. Siehe auch Bockris' Ausführungen, a. a. O., S. 48.

17 In einer der ersten von Warhol gestalteten Anzeigen – vermutlich die Schuhzeichnungen für das *Glamour*-Magazin im Herbst 1949 – wurde das ›a‹ am Ende von Warhola im Druck vergessen; angeblich änderte Andy Warhol von diesem Tag an seinen Namen und blieb bei Warhol. Siehe auch Bourdon, a.a.O., S. 26.

18 Siehe auch Victor Bockris, a.a.O., S. 54.

19 Ebenda, S. 54 (Victor Bockris zitiert Philip Pearlstein).

20 Ebenda, S. 42. Siehe auch Jesse Kornbluth, a.a.O., S. 36.

21 Andy Warhol, a.a.O., S. 22f., »...as soon as I became a loner in my own mind...«.

22 Ebenda, S. 22.

23 Victor Bockris, a.a.O., S. 65f.

24 Die Hugo Gallery an der 56. Straße und der Madison Avenue wurde von Alexander Iolas, der sich als Kunsthändler in den frühen fünfziger Jahren dem Surrealismus widmete, zusammen mit David Mann geleitet. Iolas und Mann entschieden sich spontan, die Zeichnungen Andy Warhols noch im Sommer auszustellen. Die Ausstellung »Fifteen Drawings Based on the Writings of Truman Capote« eröffnete am 16. Juni 1952. (David Mann eröffnete später seine eigene Galerie (Bodley Gallery) und zeigte die Zeichnungen Warhols in den Jahren 1956, 1957 und 1958.

25 Andy Warhols Zeichnungen beziehen sich auf die Sammlung von Kurzgeschichten »A Tree of Night and other stories«, erschienen 1949, oder auf Passagen aus Truman Capotes Romanen »Other Voices Other Rooms«, 1949, und »The Grass Harp«, 1951.

26 Das Portfolio »A Is an Alphabet« wurde 1953 von Andy Warhol als eines seiner sogenannten ›Präsentationsbücher‹ selbst verlegt. (Warhol verschenkte diese Bücher an Auftraggeber, Verleger und Freunde). Das Portfolio enthält 26 lose Litho-Offsetdrucke, die wahrscheinlich von Seymour Berlin gedruckt wurden. Der Text wurde von Ralph T. Ward geschrieben. Die Auflage [vermutlich 100 Exemplare] steht nicht genau fest. Die Drucke wurden nicht numerisch fortlaufend gekennzeichnet.

27 Die 18 Zeichnungen für das Portfolio »There was Snow on the Street and Rain in the Sky« entstanden 1952 oder 1953. Der Text wurde von Ralph T. Ward geschrieben. [Unklar ist, wann die Zeichnungen wirklich gedruckt wurden. Siehe auch Rainer Crone, a.a.O., S. 56.]

28 Das Portfolio »Love is a Pink Cake« wurde 1953 von Andy Warhol selbst verlegt. Es enthält 25 ungebundene Litho-Offsetdrucke. Der Text wurde von Ralph T. Ward geschrieben. Die Auflage beträgt vermutlich 100 Exemplare.

29 Das gebundene Buch »25 Cats Name(d) Sam and One Blue Pussy« entstand 1954. Es wurde von Seymour Berlin im Litho-Offset gedruckt. Der Text wurde von Charles Lisanby verfaßt, die eigentliche Schrift wurde von Andy Warhols Mutter in die Blätter eingetragen, wobei ihr in der Beschriftung des Titelblattes (Name statt Named) ein Fehler unterlief. Die Blätter wurden von Andy Warhol und Freunden unterschiedlich aquarelliert, und die Anzahl der kolorierten Blätter variiert von Buch zu Buch.

30 Die Mappe »A la Recherche du Shoe Perdu« entstand 1955. Sie enthält 14 Litho-Offsetdrucke, die von Andy Warhol und Freunden unterschiedlich mit Aquarellfarben koloriert wurden. Die Texte wurden von Ralph Pomery verfaßt und von Andy Warhols Mutter geschrieben. Die Auflage des Portfolios ist unbekannt, ebenso die genaue Anzahl der handkolorierten Blätter. [Siehe auch Rainer Crone, a.a.O., S. 56. Crone nennt als wahrscheinliche Auflage 50 Exemplare.].

31 Siehe Kornbluth, a.a.O., S. 106 (Reproduktion der Doppelseite des *Life*-Magazins mit dem Text, aus dem ich zitiere).

32 Das gebundene Buch »In the Bottom of my Garden« entstand 1956. Es enthält 20 Litho-Offsetdrucke, die teilweise – einschließlich des Buchdeckels – handkoloriert wurden. Die Auflage ist unbekannt, auch die Anzahl der jeweils kolorierten Blätter.

33 Zitiert nach David Bourdon, a.a.O., S. 50.

34 »A Gold Book by Andy Warhol« erschien 1957 im Selbstverlag. Das gebundene Buch enthält 18, teilweise handkolorierte Litho-Offsetdrucke, und es wurde in einer Auflage von 100 Exemplaren gedruckt. Das Design des Buches wurde von Georgie Duffee besorgt.

35 Die Ausstellung »Sixteen Americans« im Museum of Modern Art [16. Dezember 1959 – 14. Februar 1960] zeigte neben den Werken abstrakter Expressionisten auch Arbeiten von Jasper Johns, Robert Rauschenberg, Frank Stella, Ellsworth Kelly u.a. Künstlern, deren neue Bildsprache sich in kühler Rationalität von der Gestik und dem psychischen Potential der Werke Pollocks, Klines und Motherwells abwandte.

36 »Wild Raspberries«, ein Phantasie-Kochbuch, ist das letzte der ›Präsentationsbücher‹ Warhols. Es wurde von Andy Warhol und Suzie Frankfurt gemeinsam herausgegeben und im Kaufhaus *Bloomingdale's* angeboten. »Wild Raspberries« enthält 20 Blätter, die im Litho-Offsetdruck reproduziert und anschließend teilweise von Andy Warhol und Freunden in unbekannter Zahl handkoloriert wurden. Die ›erfundenen‹ Rezepte dieses Kochbuchs hatte Suzie Frankfurt verfaßt und Andy Warhols Mutter handschriftlich übertragen. Die Blätter wurden im Dezember 1959 in der Bodley Gallery einzeln ausgestellt.

»I never wanted to be a painter.
I wanted to be a tap dancer.«
Andy Warhol

1   Happy bug day   ca. 1954
Litho-Offsetdruck, Wasserfarbe auf
leichtem, weißen Zeichenkarton
355 x 240 mm
Titel recto oben links »Happy bug day«,
Signatur recto unten rechts mit Tinte
»Andy Warhol«

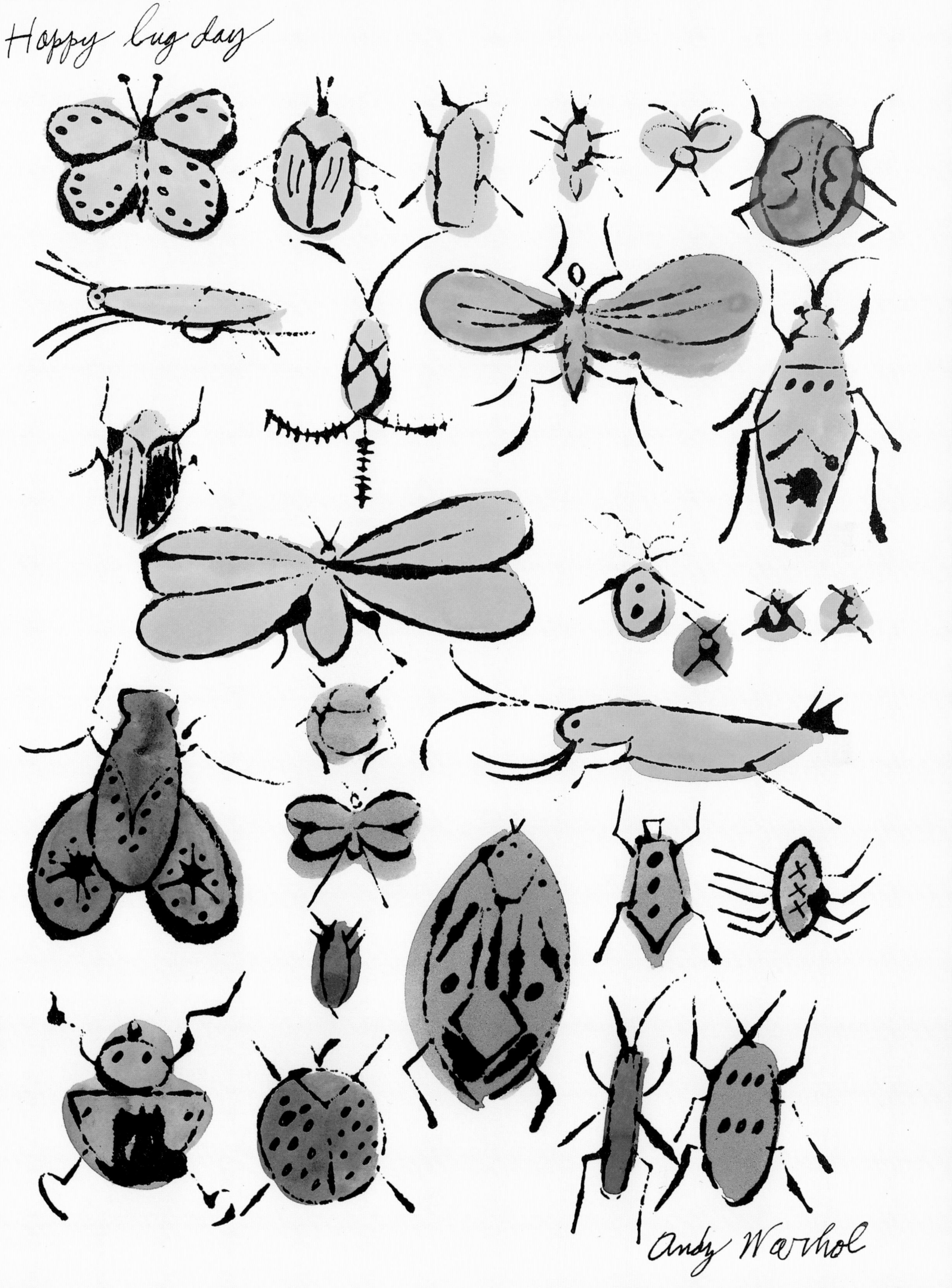

Happy bug day

Andy Warhol

2   Ohne Titel   ca. 1953
Tinte auf leichtem, weißen Zeichenpapier
216 x 279 mm
Ohne Bezeichnung

3

3   Ohne Titel   ca. 1953
Tinte auf leichtem, weißen Zeichenpapier
auf grauem Karton
235 x 228 mm
Ohne Bezeichnung

34

4

»Oh, when will I be famous,
when will it happen?«
Andy Warhol

◄ **4 Ohne Titel ca. 1954**

Tinte, Wasserfarbe [Dr. Martin's Aniline Dye]
auf festem, weißen Strathmore Karton
736 x 585 mm
Signatur recto unten rechts mit Tinte »Andy Warhol«
Zwei Stempel verso unten rechts [in blauer
Stempelfarbe] »The Estate of Andy Warhol«,
»The Andy Warhol Foundation For The Visual Arts«

◄ **5 Ohne Titel ca. 1954**

Tinte, Wasserfarbe [Dr. Martin's Aniline Dye]
auf festem, weißen Strathmore Karton
356 x 284 mm
Ohne Bezeichnung
Zwei Stempel verso unten rechts [in blauer
Stempelfarbe] »The Estate of Andy Warhol«,
»The Andy Warhol Foundation For The Visual Arts«

6 Ohne Titel ca. 1955

Tinte, Wasserfarbe, Blattgold auf festem, weißen
Strathmore Karton, oberer Rand unregelmäßig gerissen
317 x 290 mm
Signatur recto unten rechts mit Tinte
»Andy Warhol«

6

38

8

7 **Ohne Titel** ca. 1955

Tinte, Wasserfarbe auf festem, weißen
Strathmore Karton
533 x 146 mm
Signatur recto unten links mit Tinte
»Warhol«

8 **Ohne Titel** ca. 1955

Litho-Offsetdruck auf sehr leichtem,
hellgrünen Papier [mit Wasserzeichen
»Plover Onion Skin«]
737 x 278 mm
Ohne Bezeichnung

9 Ohne Titel ca. 1958
Collage;
Tinte [Stempel- und Schablonendruck]
Reptilienleder auf leichtem, weißen
Zeichenkarton
359 x 504 mm
Ohne Bezeichnung

9

»I'd be making the rounds looking for jobs all day,
and then be home drawing them at night.
That was my life in the 50s: greeting cards and watercolors
and now and then a coffeehouse poetry reading.«
Andy Warhol

10   Ohne Titel   ca. 1955

Tinte, Blattgold, gestanzte Goldornamente
auf festem, rosafarbenen Buntpapier
458 x 305 mm
Signatur recto unten rechts mit Tinte
»Andy Warhol«

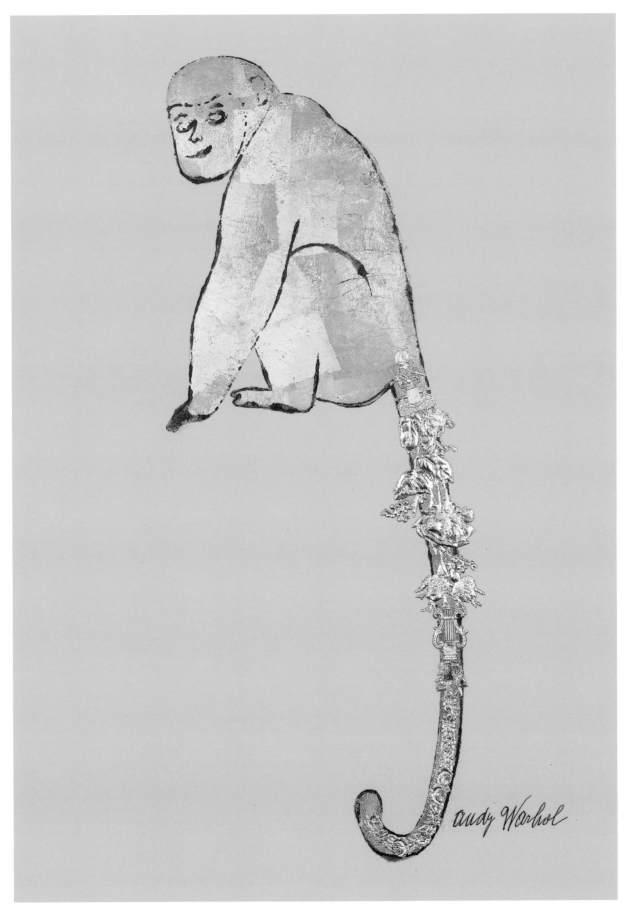

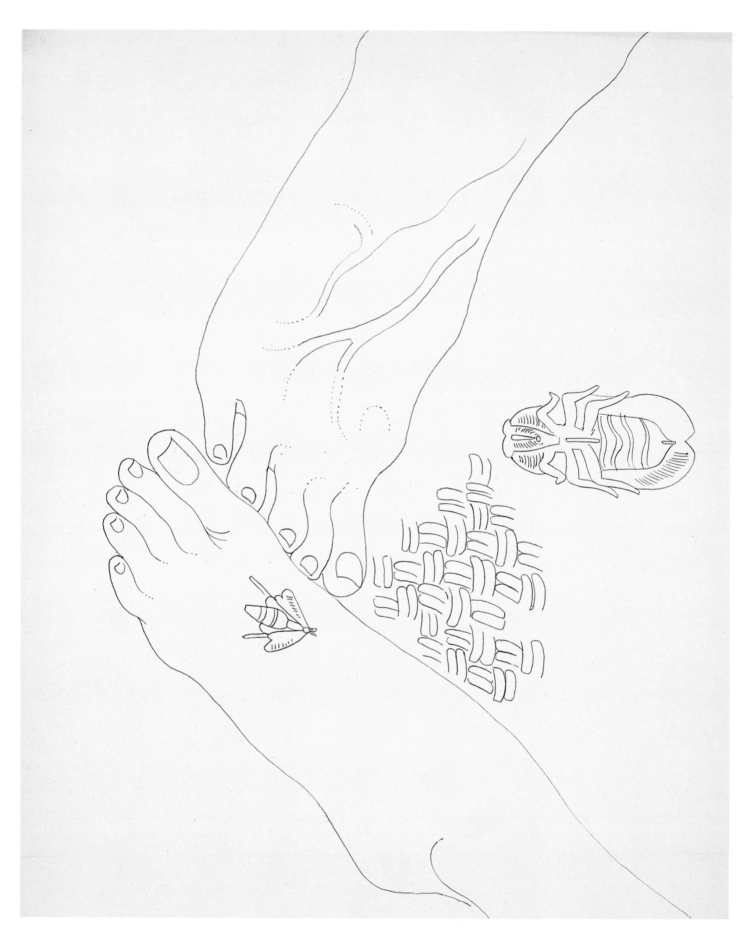

»I worked hard and I hustled, but my philosophy was always that if something was going to happen, it would, and if it wasn't and didn't, then something else would.«
Andy Warhol

◄ **11   Ohne Titel   ca. 1954**

Kugelschreiber auf leichtem, chamoisfarbenen Werkdruckpapier
427 x 353 mm
Ohne Bezeichnung

◄ **12   Ohne Titel   ca. 1955**

Kugelschreiber auf leichtem, chamoisfarbenen Werkdruckpapier
424 x 353 mm
Ohne Bezeichnung

13   Ohne Titel   1955

Tinte, Blattgold auf festem, weißen
Strathmore Karton
495 x 345 mm
Signatur recto unten rechts mit Tinte
»Andy Warhol«

andy Warhol

Titelblatt

14   In the Bottom of my Garden   1956

Das gebundene Buch »In the Bottom of my Garden«,
1956, enthält zwanzig Litho-Offsetdrucke im Format
216 x 280 mm [Seitenformat], die teilweise mit
Wasserfarbe [Dr. Martin's Aniline Dye] handkoloriert
wurden. Die Auflage ist unbekannt, ebenso die Anzahl
der in jedem Buch kolorierten Drucke. Reproduziert
sind hier der Buchumschlag und fünf weitere Blätter
aus der Publikation.

14

aus: »In the Bottom of my Garden«

14

14

Do you see my little Pussy

aus: »In the Bottom of my Garden«

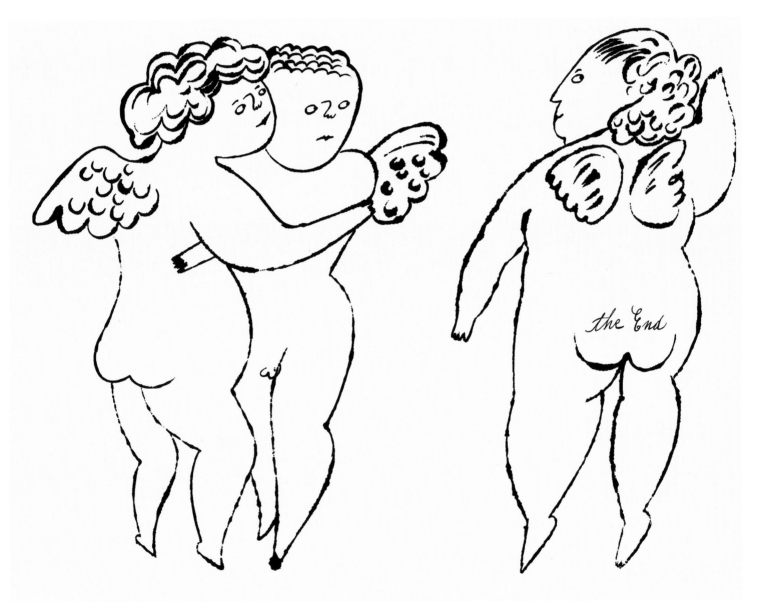

14

aus: »In the Bottom of my Garden«

»History books are being rewritten all the time. It doesn't matter what you do.
Everybody just goes on thinking the same thing, and every year it gets more
and more alike. Those who talk about individuality the most are the ones
who most object to deviation, and in a few years it may be the other way around.
Some day everybody will think just what they want to think, and then everybody
will probably be thinking alike; that seems to be what is happening.«

Andy Warhol

15   Ohne Titel   1955

Litho-Offsetdruck [entstanden aus einzelnen
Stempeln], Wasserfarbe [Dr. Martin's Aniline Dye]
auf leichtem, weißen Zeichenpapier
73,7 x 58,4 cm
Ohne Bezeichnung

»I see everything that way, the surface of things,
a kind of mental Braille,
I just pass my hands over the surface of things.«
Andy Warhol

16   Ohne Titel   1955

Tinte, Wasserfarbe [Dr. Martin's Aniline Dye]
auf festem, weißen Strathmore Karton
650 x 518 mm
Ohne Bezeichnung

17   A la Recherche du Shoe Perdu   1955

Das Portfolio »A la Recherche du Shoe Perdu«,
das 1955 erschienen ist, enthält 14 Litho-Offsetdrucke
im Format 242 x 343 mm [das Format einzelner
Blätter wurde offenbar nach dem Druck auch
individuell verändert]. Die Drucke wurden von
Andy Warhol und Freunden unterschiedlich mit
Wasserfarben [Dr. Martin's Aniline Dye] koloriert.
Ralph Pomery verfaßte die ›Shoe Poems‹
als Bildunterschriften für die Blätter, die von
Andy Warhols Mutter handschriftlich übertragen
wurden. Die Auflage des Portfolios ist unbekannt,
ebenso die genaue Anzahl der handkolorierten Blätter.
Reproduziert sind hier das Titelblatt und fünf weitere
Drucke. Alle Blätter des vollständigen Portfolios in der
Sammlung Marx sind von Andy Warhol 1981 verso
signiert worden.

Titelblatt

58

Sunset and evening shoe

The autobiography of alice B. shoe.

Any one for shoes !

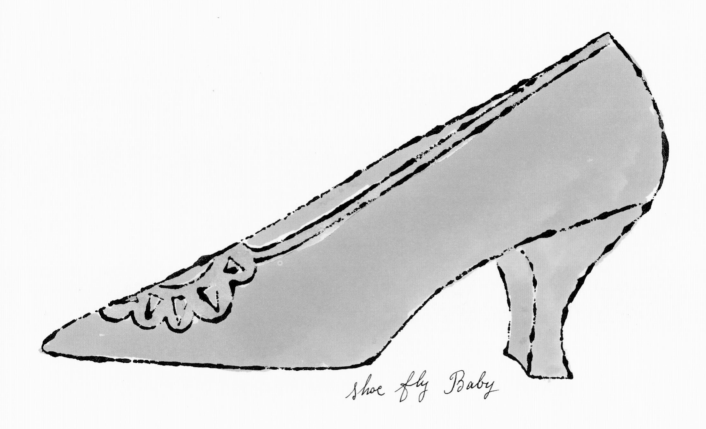

shoe fly Baby

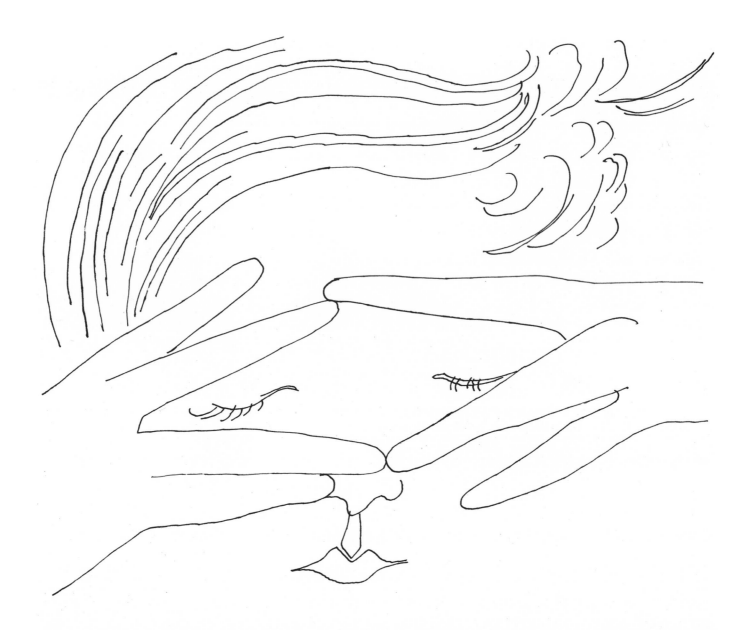

truman Capote

19

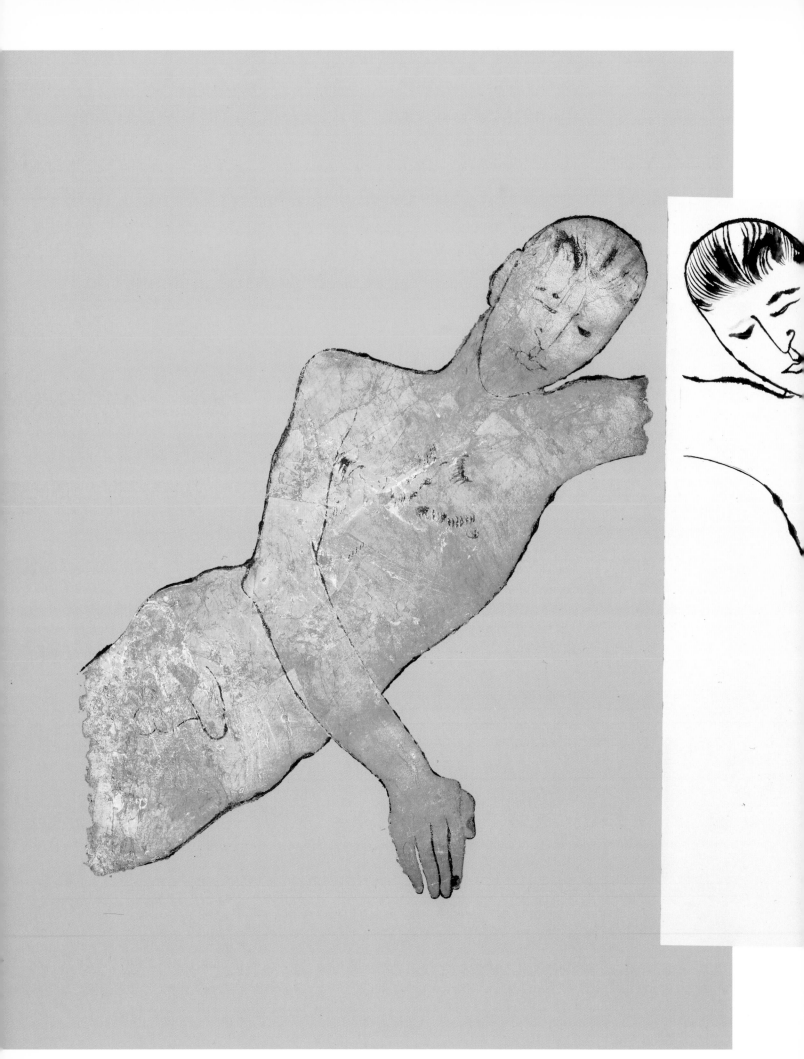

18   **Truman Capote   ca. 1954**

Tinte auf leichtem, hell chamoisfarbenen
Werkdruckpapier
426 x 349 mm
Titel recto unten Mitte mit Tinte »Truman Capote«
Zwei Stempel verso unten rechts [in blauer
Stempelfarbe] »The Estate of Andy Warhol«,
»The Andy Warhol Foundation For The Visual Arts«

19   **Ohne Titel   ca. 1957**

Kugelschreiber auf leichtem, chamoisfarbenen
Werkdruckpapier
428 x 352 mm
Ohne Bezeichnung
Zwei Stempel verso unten rechts [in blauer
Stempelfarbe] »The Estate of Andy Warhol«,
»The Andy Warhol Foundation For The Visual Arts«

20   **Ohne Titel   ca. 1957**

Collage; 2 Blätter: Tinte, Blattgold auf festem,
rosafarbenen Buntpapier; Tinte auf leichtem,
chamoisfarbenen Karton
612 x 785 mm
Ohne Bezeichnung
Zwei Stempel verso unten rechts [in blauer
Stempelfarbe] »The Estate of Andy Warhol«,
»The Andy Warhol Foundation For The Visual Arts«

REFERENZ:
1989   New York, The Museum of Modern Art,
       Andy Warhol. A Retrospective [Ausst.kat.],
       Abb. Nr. 56, S. 112 [dt. Ausg.: Köln, Museum
       Ludwig, *Andy Warhol. Eine Retrospektive*,
       Abb. Nr. 56, S. 108].

20

21

22   Hand with Wreath of Birds   1956

Tinte, Wasserfarbe [Dr. Martin's Aniline Dye]
auf sehr leichtem, weißen Zeichenpapier
607 x 465 mm
Signatur recto unten Mitte links mit Tinte
»Andy Warhol«

AUSSTELLUNGEN/AUSSTELLUNGSKATALOGE:
1982   Berlin, Nationalgalerie, *Beuys –
        Rauschenberg – Twombly – Warhol.
        Sammlung Marx,* 2. März – 12. April,
        Kat. Nr. 118, Abb. S. 196;
        weitere Station:
        – Mönchengladbach, Städtisches Museum
          Abteiberg, 6. Mai – 30. Sept.
          [Berlin/Mönchengladbach ein Kat.].
1992   Rotterdam, Kunsthal, *Warhol – Kiefer –
        Clemente. Werken op papier/works on
        paper,* 1. Nov. 1992 – 3. Jan. 1993,
        Kat. Nr. 9, Abb. o. S.

21   Ohne Titel   1955

Tinte, Blattgold auf festem,
rosafarbenen Buntpapier
457 x 308 mm
Signatur recto unten rechts
mit Tinte »Andy Warhol«

22

23

23   Ohne Titel   1956

Kugelschreiber auf leichtem, chamoisfarbenen
Zeichenpapier
425 x 351 mm
Bezeichnung, Signatur recto unten mit
Kugelschreiber »to F. Andy Warhol«

AUSSTELLUNGEN/AUSSTELLUNGSKATALOGE:
1976   Stuttgart, Württembergischer Kunstverein,
        Andy Warhol – Das zeichnerische Werk
        1942 – 1975, 12. Feb. – 28. März, Kat. Nr. 206,
        Abb. S. 156 [2. Auflage, Stuttgart 1987];
        weitere Stationen:
        – Düsseldorf, Kunsthalle;
        – Bremen, Kunsthalle;
        – München, Städtische Galerie im
          Lenbachhaus;
        – Berlin, Haus am Waldsee;
        – Wien, Museum des 20. Jahrhunderts
          [Stuttgart/Düsseldorf/Bremen/München/
          Berlin/Wien ein Kat.].
1982   Berlin, Nationalgalerie, *Beuys –*
        Rauschenberg – Twombly – Warhol.
        Sammlung Marx, 2. März – 12. April,
        Kat. Nr. 115, Abb. S. 192;
        weitere Station:
        – Mönchengladbach, Städtisches Museum
          Abteiberg, 6. Mai – 30. Sept.
          [Berlin/Mönchengladbach ein Kat.].
1992   Rotterdam, Kunsthal, *Warhol – Kiefer –*
        Clemente. Werken op papier/works on
        paper, 1. Nov. 1992 – 3. Jan. 1993,
        Kat. Nr. 12, o. Abb.

24 Golden Portrait 1957

Tinte, Blattgold auf festem, weißen Strathmore
Karton
575 x 400 mm
Signatur verso unten rechts mit Bleistift
»Andy Warhol«

AUSSTELLUNGEN/AUSSTELLUNGSKATALOGE:
1982 Berlin, Nationalgalerie, *Beuys –
      Rauschenberg – Twombly – Warhol.
      Sammlung Marx*, 2. März – 12. April,
      Kat. Nr. 119, Abb. S. 192;
      weitere Station:
      – Mönchengladbach, Städtisches Museum
        Abteiberg, 6. Mai – 30. Sept.
        [Berlin/Mönchengladbach ein Kat.].
1992 Rotterdam, Kunsthal, *Warhol – Kiefer –
      Clemente. Werken op papier/works on
      paper*, 1. Nov. 1992 – 3. Jan. 1993,
      Kat. Nr. 23, o. Abb.

»I suppose I have a really loose interpretation of ›work‹, because I think
that just being alive is so much work at something you don't always want to do.
Being born is like being kidnapped. And then sold into slavery.
People are working every minute. The machinery is always going.
Even when you sleep.«

Andy Warhol

25   Golden Portrait with Cat   1957
Tinte, Blattgold auf festem, roten Buntpapier
541 x 407 mm
Signatur verso unten rechts mit Bleistift
»Andy Warhol«

AUSSTELLUNGEN/AUSSTELLUNGSKATALOGE:
1982   Berlin, Nationalgalerie, *Beuys –*
         Rauschenberg – Twombly – Warhol.
         Sammlung Marx, 2. März – 12. April,
         Kat. Nr. 120, Abb. S. 193;
         weitere Station:
         – Mönchengladbach, Städtisches Museum
           Abteiberg, 6. Mai – 30. Sept.
           [Berlin/Mönchengladbach ein Kat.].
1992   Rotterdam, Kunsthal, *Warhol – Kiefer –*
         Clemente. Werken op papier/works on
         paper, 1. Nov. 1992 – 3. Jan. 1993,
         Kat. Nr. 22, Abb. o. S.

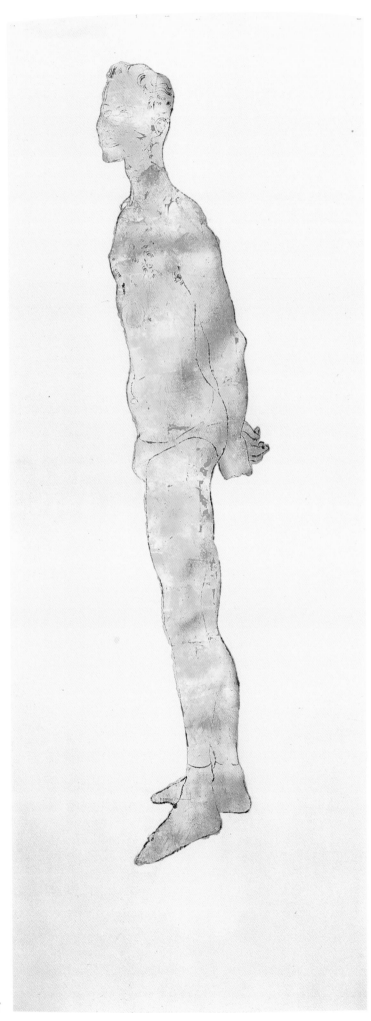

27

26   Ohne Titel   1956

Kugelschreiber auf leichtem, chamoisfarbenen
Zeichenpapier
426 x 353 mm
Signatur verso unten links mit Bleistift
»Andy Warhol«

AUSSTELLUNGEN/AUSSTELLUNGSKATALOGE:
1982 Berlin, Nationalgalerie, *Beuys –
      Rauschenberg – Twombly – Warhol.
      Sammlung Marx*, 2. März – 12. April,
      Kat. Nr. 113, Abb. S. 190;
      weitere Station:
      – Mönchengladbach, Städtisches
        Museum Abteiberg, 6. Mai – 30. Sept.
        [Berlin/Mönchengladbach ein Kat.].
1992 Rotterdam, Kunsthal, *Warhol – Kiefer –
      Clemente. Werken op papier/works
      on paper*, 1. Nov. 1992 – 3. Jan. 1993,
      Kat. Nr. 7, o. Abb.

27   Ohne Titel (Golden Boy)   1957

Tinte, Blattgold, Bleistift auf festem,
chamoisfarbenen Zeichenkarton
2463 x 907 mm
Signatur, Datierung verso unten links
mit Bleistift »Andy Warhol 1957«

AUSSTELLUNGEN/AUSSTELLUNGSKATALOGE:
1992 Rotterdam, Kunsthal, *Warhol –
      Kiefer – Clemente. Werken op
      papier/works on paper*,
      1. Nov. 1992 – 3. Jan. 1993,
      Kat. Nr. 14, Abb. o. S.

REFERENZ:
1989 New York, The Museum of Modern Art,
      Andy Warhol. A Retrospective
      [Ausst.kat.], Abb. Nr. 40, S. 108
      [dt. Ausg.: Köln, Museum Ludwig,
      Andy Warhol. Eine Retrospektive,
      Abb. Nr. 40, S. 104].
      David Bourdon: *Warhol*, New York
      [dt. Ausg. Köln], Abb. Nr. 43, S. 53.
      Pat Hackett [Hg.]: *Andy Warhol.
      Das Tagebuch*, München
      [amerik. Ausg.: *The Andy Warhol
      Diaries*, New York], Abb. Nr. 4, S. 79.
1993 Lothar Romain: *Andy Warhol*, München,
      Abb. Nr. 12, S. 27.

28

»I still care about people but it would be so much easier not to care.
I don't want to get too close; I don't like to touch things,
that's why my work is so distant from myself.«
Andy Warhol

28   Ohne Titel   ca. 1957
Kugelschreiber auf leichtem, hell-
chamoisfarbenen Werkdruckpapier
427 x 353 mm
Ohne Bezeichnung
Zwei Stempel verso unten rechts
[in blauer Stempelfarbe] »The Estate
of Andy Warhol«, »The Andy Warhol
Foundation For The Visual Arts«

»I never read, I just look at pictures.«
Andy Warhol

29   Ohne Titel   1956
Kugelschreiber auf leichtem, chamoisfarbenen
Zeichenpapier
455 x 301 mm
Signatur recto unten rechts mit Tinte und verso
unten links mit Bleistift »Andy Warhol«

AUSSTELLUNGEN/AUSSTELLUNGSKATALOGE:
1982   Berlin, Nationalgalerie, *Beuys – Rauschenberg –*
        Twombly – Warhol. Sammlung Marx, 2. März –
        12. April, Kat. Nr. 114, Abb. S. 191;
        weitere Station:
        – Mönchengladbach, Städtisches Museum
          Abteiberg, 6. Mai – 30. Sept.
          [Berlin/Mönchengladbach ein Kat.].
1992   Rotterdam, Kunsthal, *Warhol – Kiefer – Clemente.*
        Werken op papier/works on paper, 1. Nov. 1992 –
        3. Jan. 1993, Kat. Nr. 6, o. Abb.

29

andy Warhol

30   A Gold Book by Andy Warhol   1957

Das gebundene Buch »A Gold Book by Andy Warhol«,
1957, enthält 18, teilweise handkolorierte Litho-Offsetdrucke im Format 365 x 285 mm [Seitenformat]. Es
wurde in einer Auflage von 100 Exemplaren gedruckt.
Das Design wurde von Georgie Duffee besorgt.
Reproduziert sind hier der Buchumschlag und fünf
weitere Blätter, die Seiten 3, 7, 11, 21, 25 aus der
Publikation.

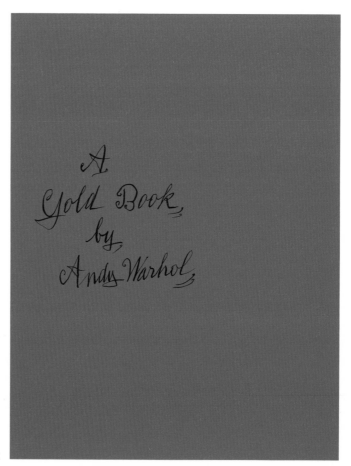

Titelblatt

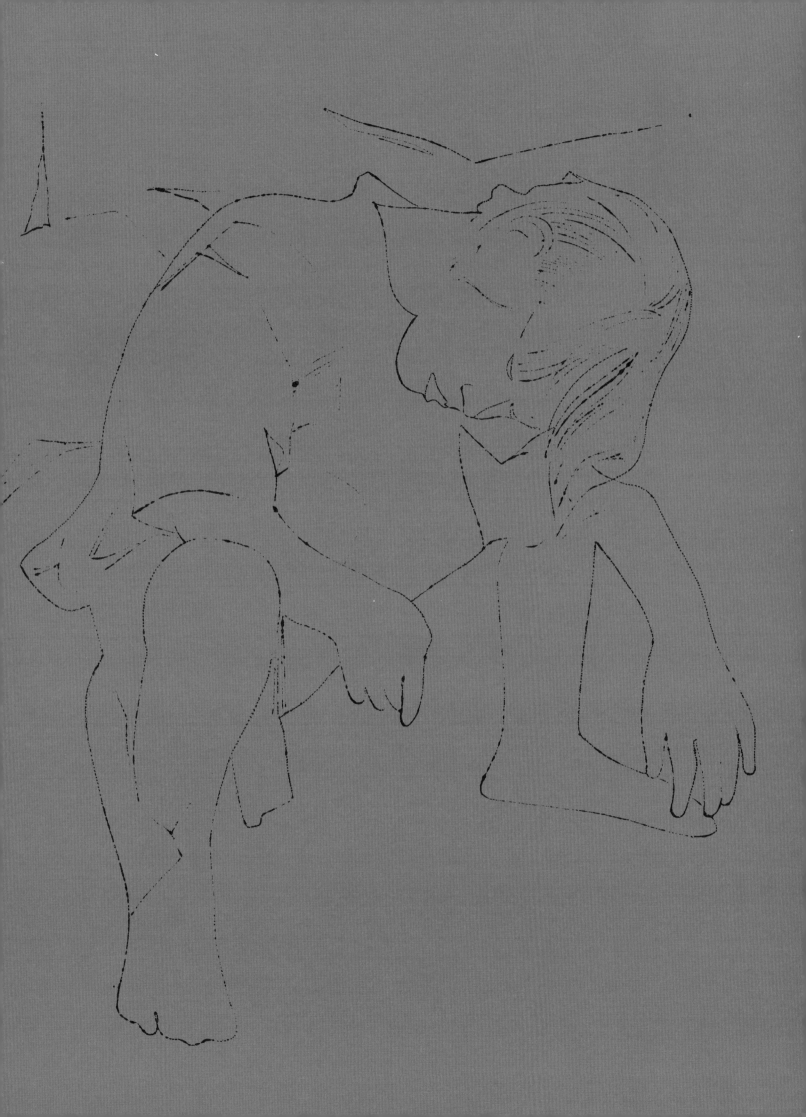

»I like boring things.
I like things to be exactly the same over and over again.«
Andy Warhol

31   Ohne Titel   1957
Tinte, Wasserfarbe, Blattsilber auf
leichtem, chamoisfarbenen Karton
484 x 369 mm
Signatur mit Initialen recto unten
rechts mit Tinte »A.W.«

31

32　Ohne Titel　ca. 1956

Paravent [3 Teile]
Tinte, Tempera auf Holzpaneel
164 x 129 x 2,6 cm [H x B x T]
Signatur auf dem rechten Paneel recto
unterhalb der Mitte rechts mit Tinte
»Andy Warhol«

AUSSTELLUNGEN/AUSSTELLUNGSKATALOGE:
1971　New York, Gotham Book Mart &
　　　　Gallery, *Andy Warhol. His Early*
　　　　Works 1947–1959, 26. Mai–
　　　　26. Juni, n. n., Abb. S. 47.
1992　Rotterdam, Kunsthal, *Warhol–Kiefer–*
　　　　Clemente. Werken op papier/works on
　　　　paper, 1. Nov. 1992–3. Jan. 1993,
　　　　Kat. Nr. 5, Abb. o. S.

REFERENZ:
1988　Jesse Kornbluth: *Pre-Pop-Warhol*,
　　　　New York, Abb. Nr. 31, S. 87
　　　　[dt. Ausg.: München 1989,
　　　　Abb. Nr. 43, o. S.].
1989　David Bourdon: *Warhol*, New York
　　　　[dt. Ausg. Köln], Abb. Nr. 51, S. 57.
1993　Lothar Romain: *Andy Warhol*, München,
　　　　Abb. Nr. 19, S. 35.

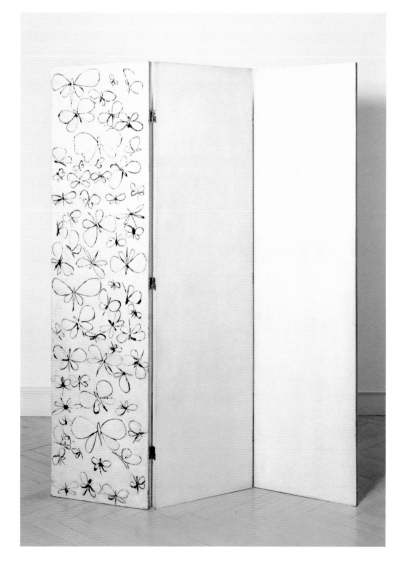

Rückseite
des Paravents

33

Andy Warhol

33   Twelve Cupids   ca. 1959
Tinte [Stempeldruck], Wasserfarbe auf
leichtem, chamoisfarbenen Büttenpapier
367 x 276 mm
Signatur recto unten rechts mit Tinte
»Andy Warhol«

AUSSTELLUNGEN/AUSSTELLUNGSKATALOGE:
1982   Berlin, Nationalgalerie, *Beuys –
       Rauschenberg – Twombly – Warhol.
       Sammlung Marx*, 2. März – 12. April,
       Kat. Nr. 130, Abb. S. 197;
       weitere Station:
       – Mönchengladbach, Städtisches Museum
         Abteiberg, 6. Mai – 30. Sept.
         [Berlin/Mönchengladbach ein Kat.].
1992   Rotterdam, Kunsthal, *Warhol – Kiefer –
       Clemente. Werken op papier/works on
       paper*, 1. Nov. 1992 – 3. Jan. 1993,
       Kat. Nr. 26, o. Abb.

34   Ohne Titel   1956
Tinte [Stempeldruck], Wasserfarbe
[Dr. Martin's Aniline Dye] auf festem,
weißen Zeichenkarton
500 x 400 mm
Ohne Bezeichnung

AUSSTELLUNGEN/AUSSTELLUNGSKATALOGE:
1982   Berlin, Nationalgalerie, *Beuys –
       Rauschenberg – Twombly – Warhol.
       Sammlung Marx*, 2. März – 12. April,
       Kat. Nr. 116, Abb. S. 196;
       weitere Station:
       – Mönchengladbach, Städtisches Museum
         Abteiberg, 6. Mai – 30. Sept.
         [Berlin/Mönchengladbach ein Kat.].
1992   Rotterdam, Kunsthal, *Warhol – Kiefer –
       Clemente. Werken op papier/works on
       paper*, 1. Nov. 1992 – 3. Jan. 1993,
       Kat. Nr. 3, o. Abb.

andy Warhol

»My mind is like a tape recorder with one button – erase.«
Andy Warhol

**35   Ice Cream Cone
     With Bluebird   ca. 1956**

Tinte, Wasserfarbe [Dr. Martin's Aniline Dye]
auf festem, weißen Strathmore Karton
733 x 576 mm
Signatur verso unten rechts mit Bleistift
»Andy Warhol«

AUSSTELLUNGEN/AUSSTELLUNGSKATALOGE:
1992   Rotterdam, Kunsthal, *Warhol – Kiefer –
        Clemente. Werken op papier/works on
        paper*, 1. Nov. 1992 – 3. Jan. 1993,
        Kat. Nr. 11, Abb. o. S.

»I think everybody should be a machine.
I think everybody should be like everybody.«
Andy Warhol

36   Ice Cream Cone   1957

Tinte, Blattgoldimitat, gestanzte Silber-
ornamente auf festem, weißen Strathmore Karton
714 x 494 mm
Titel recto unten links mit Tinte »ice Cream
Cone«, Signatur recto unten rechts mit Tinte
»Andy Warhol«

AUSSTELLUNGEN/AUSSTELLUNGSKATALOGE:
1982   Berlin, Nationalgalerie, *Beuys –*
        Rauschenberg – Twombly – Warhol.
        Sammlung Marx, 2. März – 12. April,
        Kat. Nr. 123, Abb. S. 197;
        weitere Station:
        – Mönchengladbach, Städtisches Museum
           Abteiberg, 6. Mai – 30. Sept.
           [Berlin/Mönchengladbach ein Kat.].
1992   Rotterdam, Kunsthal, *Warhol – Kiefer –*
        Clemente. Werken op papier/works on
        paper, 1. Nov. 1992 – 3. Jan. 1993,
        Kat. Nr. 18, o. Abb.

ice
Cream
Cone

andy Warhol

36

95

37

37 Ohne Titel ca. 1957

Litho-Offsetdruck, Wasserfarbe
[Dr. Martin's Aniline Dye] auf
leichtem, weißen Büttenpapier
361 x 254 mm
Signatur recto unten rechts
mit Tinte »Andy Warhol«

38 Margaret Rutherford 1957

Tinte, Blattgoldimitat auf festem,
chamoisfarbenen Zeichenkarton
507 x 331 mm
Titel, Signatur recto unten rechts mit
Tinte »Margaret Rutherford Andy Warhol«,
darunter Signatur mit Bleistift
»Andy Warhol«

AUSSTELLUNGEN/AUSSTELLUNGSKATALOGE:
1982 Berlin, Nationalgalerie, *Beuys –
Rauschenberg – Twombly – Warhol.
Sammlung Marx*, 2. März – 12. April,
Kat. Nr. 121, Abb. S. 195;
weitere Station:
– Mönchengladbach, Städtisches Museum
Abteiberg, 6. Mai – 30. Sept.
[Berlin/Mönchengladbach ein Kat.].
1992 Rotterdam, Kunsthal, *Warhol – Kiefer –
Clemente. Werken op papier/works on
paper*, 1. Nov. 1992 – 3. Jan. 1993,
Kat. Nr. 16, o. Abb.

Margaret
Rutherford

andy Warhol

38

97

39   Ohne Titel   1956

Tinte, Blattgoldimitat, gestanzte
Gold- und Silberornamente auf festem,
weißen Zeichenpapier
245 x 412 cm
Bezeichnung recto Mitte rechts mit
Tinte »Ruby«, Signatur recto unten
rechts mit Tinte »Andy Warhol«

ANMERKUNG:
Die Widmung »Ruby« gilt sehr
wahrscheinlich der Tänzerin Ruby Keeler.

39

»If they told me to draw a shoe, I'd do it, and if they told me to correct it,
I would – I'd do anything they told me to do, correct it and do it right…
after all that ›correction‹, those commercial drawings would have feelings…
the process of doing work in commercial art was machine-like,
but the attitude had feeling to it.«
Andy Warhol

40

40 Ohne Titel ca. 1957

Tinte, Wasserfarbe auf festem,
weißen Strathmore Karton
372 x 573 mm
Ohne Bezeichnung
Zwei Stempel verso unten rechts
[in blauer Stempelfarbe] »The Estate
of Andy Warhol«, »The Andy Warhol
Foundation For The Visual Arts«

41 Ohne Titel ca. 1959

Tinte, Temperafarbe auf festem,
weißen Strathmore Karton
285 x 204 mm
Ohne Bezeichnung
Zwei Stempel verso unten rechts
[in blauer Stempelfarbe] »The Estate
of Andy Warhol«, »The Andy Warhol
Foundation For The Visual Arts«

42

42   Ohne Titel   1957

Tinte, Wasserfarbe [Dr. Martin's Aniline Dye]
auf festem, weißen Zeichenkarton
740 x 574 mm
Signatur recto unten rechts mit Tinte
»Andy Warhol«

AUSSTELLUNGEN/AUSSTELLUNGSKATALOGE:
1982   Berlin, Nationalgalerie, *Beuys –
       Rauschenberg – Twombly – Warhol.
       Sammlung Marx*, 2. März – 12. April,
       Kat. Nr. 125, Abb. S. 198;
       weitere Station:
       – Mönchengladbach, Städtisches Museum
          Abteiberg, 6. Mai – 30. Sept.
          [Berlin/Mönchengladbach ein Kat.].
1992   Rotterdam, Kunsthal, *Warhol – Kiefer –
       Clemente. Werken op papier/works on
       paper*, 1. Nov. 1992 – 3. Jan. 1993,
       Kat. Nr. 21, o. Abb.

43   Silver Asparagus   1957

Tinte, Blattsilber, Wasserfarbe
auf festem, chamoisfarbenen Zeichenkarton
582 x 370 mm
Signatur verso unten mit Tinte
»Andy Warhol«

AUSSTELLUNGEN/AUSSTELLUNGSKATALOGE:
1982   Berlin, Nationalgalerie, *Beuys –
       Rauschenberg – Twombly – Warhol.
       Sammlung Marx*, 2. März – 12. April,
       Kat. Nr. 124, Abb. S. 198;
       weitere Station:
       – Mönchengladbach, Städtisches Museum
          Abteiberg, 6. Mai – 30. Sept.
          [Berlin/Mönchengladbach ein Kat.].
1992   Rotterdam, Kunsthal, *Warhol – Kiefer –
       Clemente. Werken op papier/works on
       paper*, 1. Nov. 1992 – 3. Jan. 1993,
       Kat. Nr. 19, o. Abb.

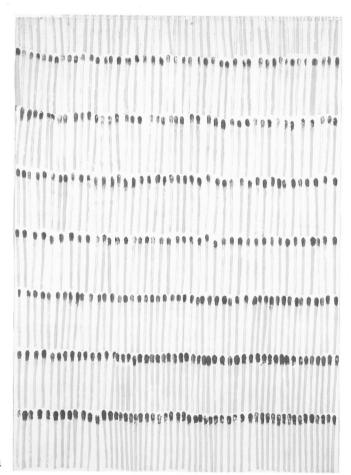

44

44   Matches   1957

Wasserfarbe auf leichtem, weißen
Zeichenpapier, oberer Rand perforiert
615 x 456 mm
Signatur recto unten rechts mit Bleistift
»Andy Warhol«

AUSSTELLUNGEN/AUSSTELLUNGSKATALOGE:
1982 Berlin, Nationalgalerie, *Beuys –
       Rauschenberg – Twombly – Warhol.
       Sammlung Marx*, 2. März – 12. April,
       Kat. Nr. 127, Abb. S. 199;
       weitere Station:
       – Mönchengladbach, Städtisches Museum
          Abteiberg, 6. Mai – 30. Sept.
          [Berlin/Mönchengladbach ein Kat.].
1992 Rotterdam, Kunsthal, *Warhol – Kiefer –
       Clemente. Werken op papier/works on
       paper*, 1. Nov. 1992 – 3. Jan. 1993,
       Kat. Nr. 17, o. Abb.

45   Ohne Titel   1957

Tinte, Blattsilber, Wasserfarbe
[Dr. Martin's Aniline Dye] auf
festem, weißen Zeichenkarton
575 x 361 mm
Signatur verso unten rechts mit Bleistift
»Andy Warhol«

AUSSTELLUNGEN/AUSSTELLUNGSKATALOGE:
1982 Berlin, Nationalgalerie, *Beuys –
       Rauschenberg – Twombly – Warhol.
       Sammlung Marx*, 2. März – 12. April,
       Kat. Nr. 122, Abb. S. 203;
       weitere Station:
       – Mönchengladbach, Städtisches Museum
          Abteiberg, 6. Mai – 30. Sept.
          [Berlin/Mönchengladbach ein Kat.].
1992 Rotterdam, Kunsthal, *Warhol – Kiefer –
       Clemente. Werken op papier/works on
       paper*, 1. Nov. 1992 – 3. Jan. 1993,
       Kat. Nr. 20, o. Abb.

*»If you want to know all about Andy Warhol,
just look at the surface: of my paintings and films and me,
and there I am. There's nothing behind it.«*
Andy Warhol

46   Wrapping Paper   1959

Litho-Offsetdruck [entstanden aus einzelnen
Stempeln], Wasserfarbe [Dr. Martin's Aniline Dye]
auf leichtem, weißen Zeichenpapier,
oberer Rand perforiert
607 x 456 mm
Signatur recto unten links mit Tinte
»Andy Warhol«

AUSSTELLUNGEN/AUSSTELLUNGSKATALOGE:
1982   Berlin, Nationalgalerie, *Beuys –
        Rauschenberg – Twombly – Warhol.
        Sammlung Marx,* 2. März – 12. April,
        Kat. Nr. 128, Abb. S. 194;
        weitere Station:
        – Mönchengladbach, Städtisches Museum
          Abteiberg, 6. Mai – 30. Sept.
          [Berlin/Mönchengladbach ein Kat.].

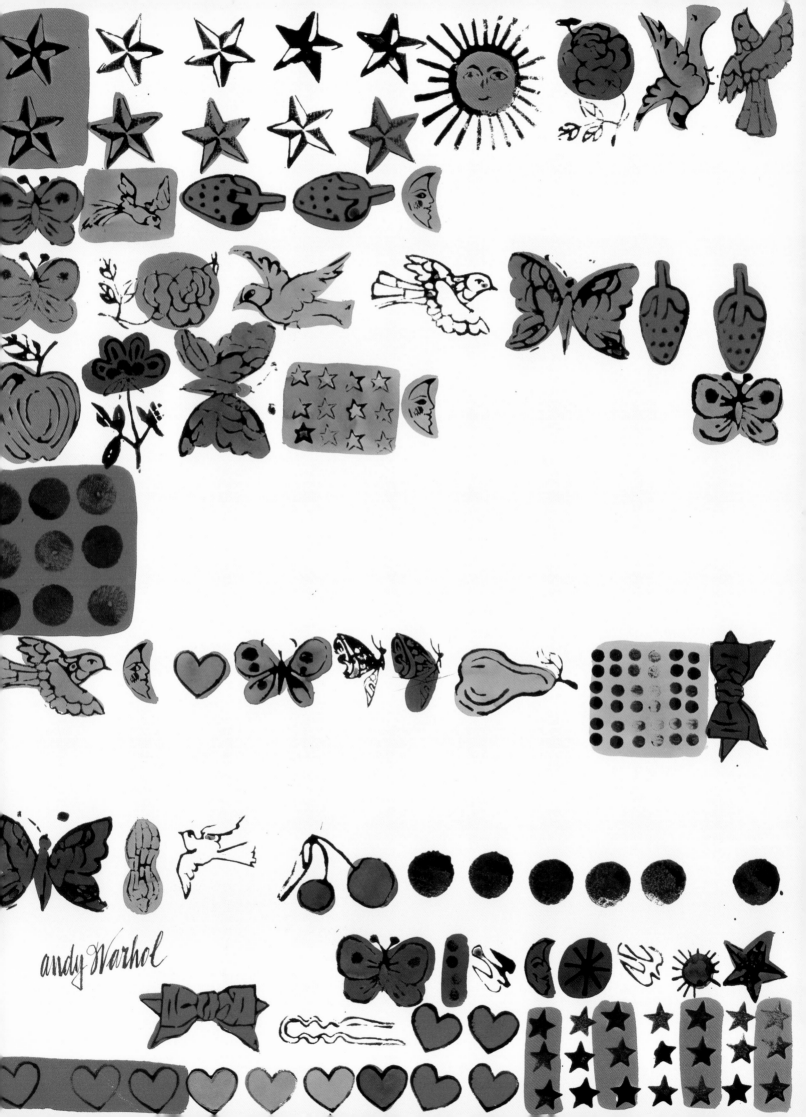

andy Warhol

»When you think about it,
department stores are kind of like museums.«
Andy Warhol

47 Wild Raspberries 1959

»Wild Raspberries« ist ein gezeichnetes Kochbuch.
Es wurde 1959 von Andy Warhol und Suzie Frankfurt
gemeinsam herausgegeben. Das Portfolio enthält
zwanzig Blätter im Format 430 x 270 mm
[ausgenommen das Blatt »Piglet«: 430 x 540 mm].
Die Arbeiten sind im Litho-Offsetdruckverfahren
reproduziert und anschließend teilweise von Andy
Warhol und Freunden mit Wasserfarbe [Dr. Martin's
Aniline Dye] in unbekannter Zahl handkoloriert
worden. Die ›erfundenen‹ Rezepte dieses Kochbuchs
hat Suzie Frankfurt verfaßt, und sie wurden von
Andy Warhols Mutter handschriftlich übertragen.
Reproduziert sind hier sechs der insgesamt zwanzig
Blätter des Portfolios:

47 [a]   Salade de alf Landon
47 [b]   Piglet
47 [c]   Greengages a la Warhol
47 [d]   Baked Hawaii
47 [e]   Dorothy Killgallens Gateau of Marzipan
47 [f]   Torte a la Dobosch

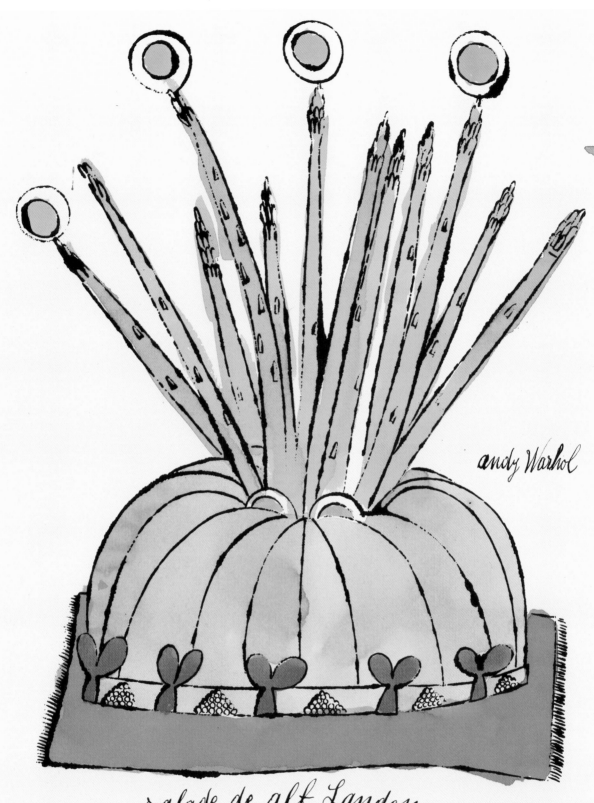

andy Warhol

salade de alf Landon

Coat a bombe with very clear jelly and place in the bottom thin
slices of spiny-lobster tail decorated with capers. Fill the
mould with green asparagus tips, hard boiled plovers' egg and
sliced cock's kidneys mixed with bacon and dandelin dressing.
Chill thoroughly and turn out on a napkin. Very popular
as a First course at political dinners in the 30's.

andy Warhol

Piglet

Contact Trader Vic's and order a 40 pound suckling pig to serve 5. Have Hanley take the Carey Cadillac to the side entrance and receive the pig at exactly 6:45. Rush home immediately and place on the open spit for 50 minutes. Remove and garnish with fresh crabapples.

47 [b]

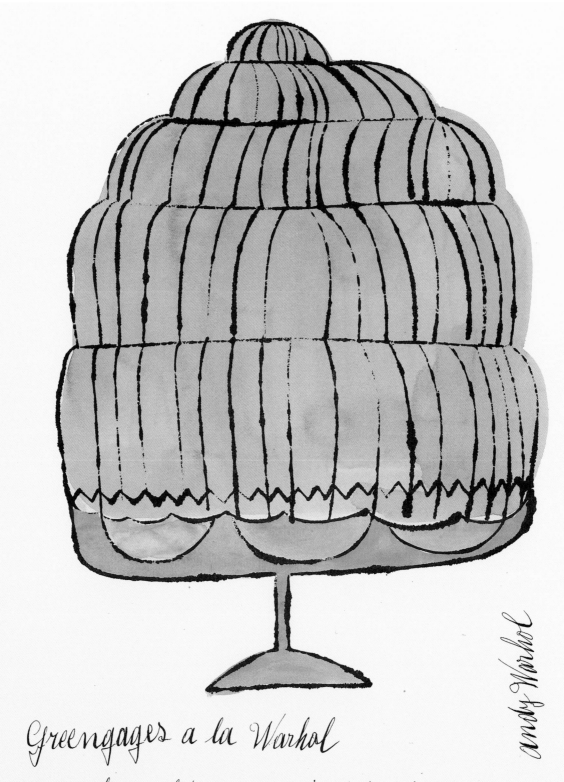

Andy Warhol

Greengages à la Warhol

Put some fine cooled greengages in a timbale. Cover them with a puree of raspberried combined with a quart of Lucky Whip. Decorate with crushed pralin of filbets. This succulant fruit is only available in its most tasty form the last three days of June in the northern parts of Wisconsin. Howeversince it is so tasty no cookbook is guite complete without one recipe for its Preparation.

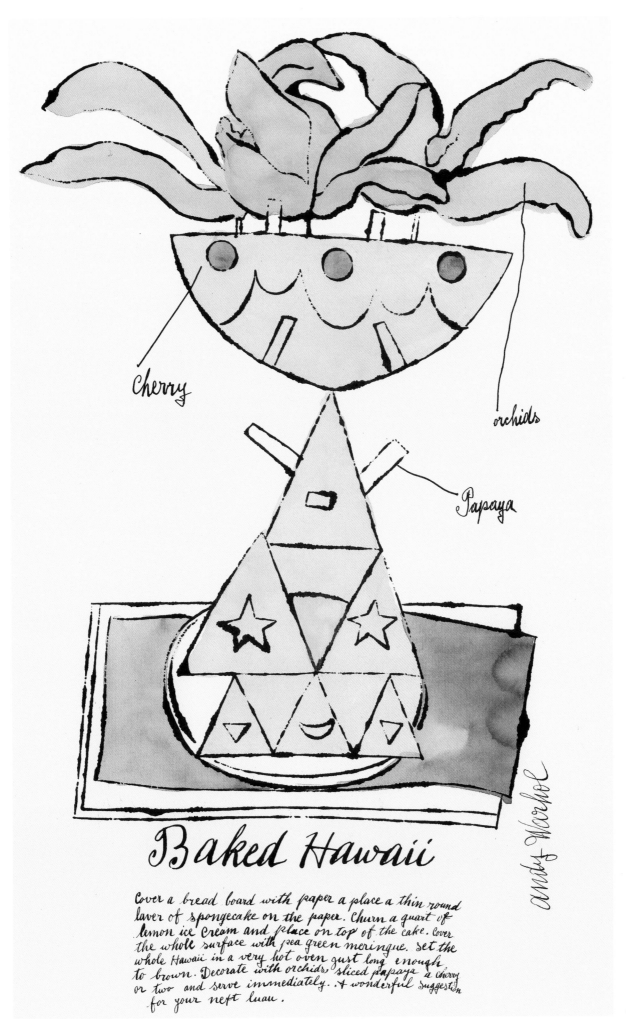

Cherry

orchids

Papaya

Andy Warhol

Baked Hawaii

Cover a bread board with paper a place a thin round layer of spongecake on the paper. Churn a quart of lemon ice cream and place on top of the cake. Cover the whole surface with pea green meringue. set the whole Hawaii in a very hot oven just long enough to brown. Decorate with orchids, sliced papaya a cherry or two and serve immediately. A wonderful suggestion for your next luau.

47 [d]

andyWarhol

Dorothy Killgallens Gateau of Marzipan

For those who are able to secure a portable refrigerator from
abichrombie and Fitch, this cake is perfection for those spur
of the moment picnics in the country. Bake a large marzipan cake
in a 13 inch oval mold, and a brandy snap dough that has been
braided into strips. Remove from the oven and shape the braided
strips into a handle for the cake basket. Decorate the handle
with almonds, mint flavored cherries, marzipan strawberries
and fill with pistachio ice cream and rosettes of marzipan.
Always a hit on those sailing sessions on the Gake.

47 [e]

Run Down to Dick Camp's and buy an old wire wisk, Beat 6 eggs and ½ cup sugar until thick and then add ½ cups flower sifted 7 tablespoons strong black Coffee, add 5 egg whites stiffly beaten and bake in 12 spring form molds, On the top layer spread an orange Glaze and slices of fresh Pineapple Decorate with a red sweetheart rose made from spun sugar and Dr. Martins dye, Let the cake fer ot least 14 hrs. before serving and hang the wire wisk on the kitchen wall above the rotisserie,

Torte a la Dobosch

andy Warhol

Dickie Camps $169

48

48 Ohne Titel 1959

Tinte, Wasserfarbe [Dr. Martin's Aniline Dye]
auf festem, weißen Strathmore Karton
737 x 585 mm
Ohne Bezeichnung
Zwei Stempel verso unten rechts [in blauer
Stempelfarbe] »The Estate of Andy Warhol«,
»The Andy Warhol Foundation For The Visual Arts«

49 Ohne Titel 1957

Tinte, Wasserfarbe auf festem,
weißen Zeichenkarton
562 x 713 mm
Signatur recto unten Mitte mit Tinte
»Andy Warhol«

AUSSTELLUNGEN/AUSSTELLUNGSKATALOGE:
1982 Berlin, Nationalgalerie, *Beuys –
Rauschenberg – Twombly – Warhol.
Sammlung Marx*, 2. März – 12. April,
Kat. Nr. 126, Abb. S. 194;
weitere Station:
– Mönchengladbach, Städtisches Museum
Abteiberg, 6. Mai – 30. Sept.
[Berlin/Mönchengladbach ein Kat.].
1992 Rotterdam, Kunsthal, *Warhol – Kiefer –
Clemente. Werken op papier/works on
paper*, 1. Nov. 1992 – 3. Jan. 1993,
Kat. Nr. 15, o. Abb.

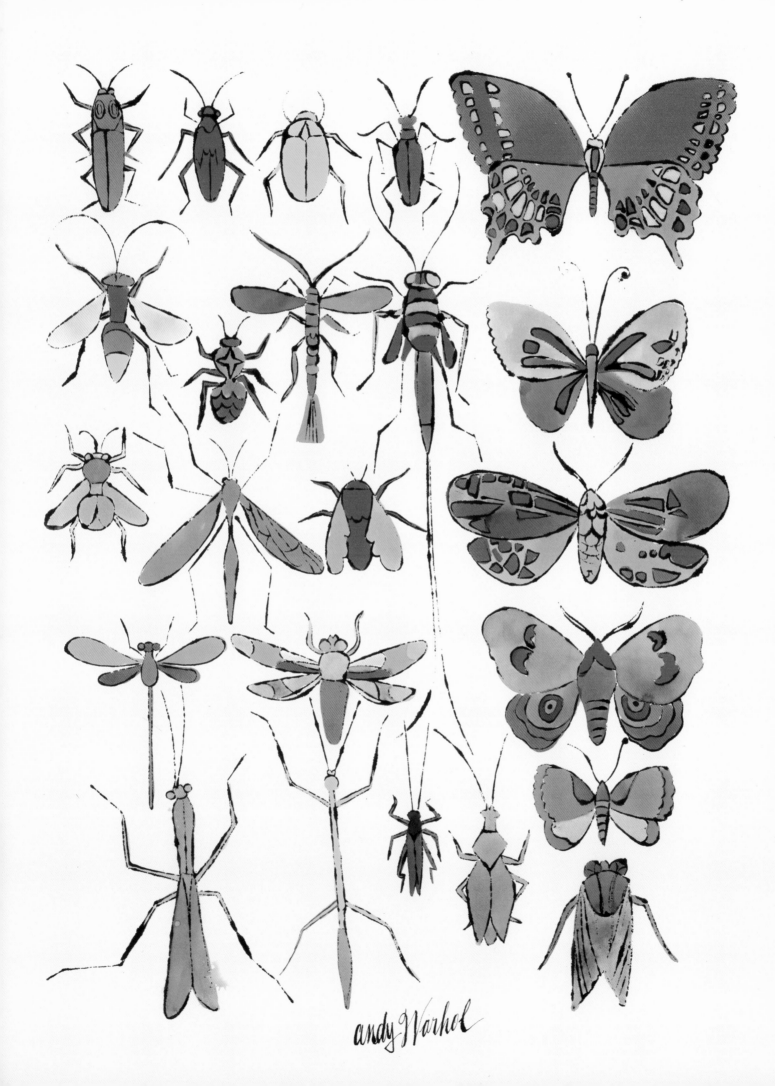

andy Warhol

50   Ohne Titel   ca. 1959

Tinte, Wasserfarbe auf festem, weißen
Strathmore Karton
735 x 583 mm
Ohne Bezeichnung
Zwei Stempel verso unten rechts [in blauer
Stempelfarbe] »The Estate of Andy Warhol«,
»The Andy Warhol Foundation For The Visual Arts«

51   Chickens   1959

Tinte [Stempeldruck], Wasserfarbe auf
festem, weißen Strathmore Karton
713 x 560 mm
Titel recto oben links mit Tinte
»Chickens«, Signatur recto oberhalb
der Mitte rechts mit Tinte »Andy Warhol«

Chickens

andy Warhol

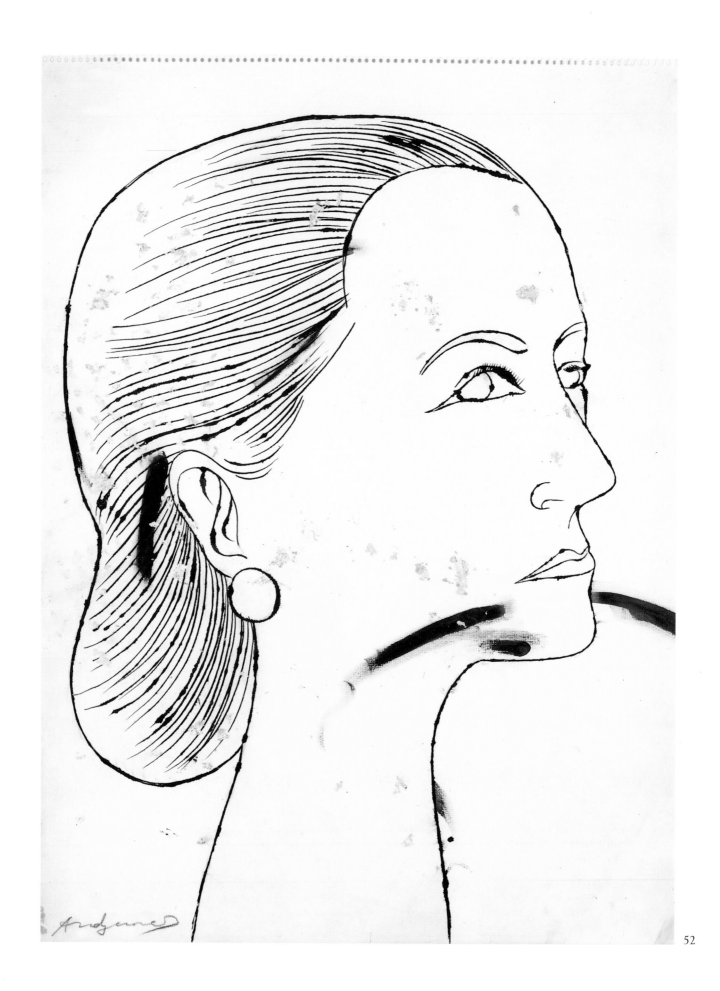

52

andy Warhol

53

52 **Portrait Diana Vreeland** **ca. 1960**	**53** **Peacock** **ca. 1959**
Tusche, Bleistift, Blattgold auf leichtem, weißen Büttenpapier	Tinte, Wasserfarbe auf festem, weißen Zeichenkarton
604 x 447 mm	568 x 368 mm
Signatur recto unten links mit Bleistift »Andy Warhol«	Signatur recto unten Mitte mit Tinte »Andy Warhol«

AUSSTELLUNGEN/AUSSTELLUNGSKATALOGE:
1992 Rotterdam, Kunsthal, *Warhol – Kiefer – Clemente. Werken op papier/works on paper*, 1. Nov. 1992 – 3. Jan. 1993, Kat. Nr. 31, o. Abb.

AUSSTELLUNGEN/AUSSTELLUNGSKATALOGE:
1992 Rotterdam, Kunsthal, *Warhol – Kiefer – Clemente. Werken op papier/works on paper*, 1. Nov. 1992 – 3. Jan. 1993, Kat. Nr. 4, o. Abb.

54   Bow Pattern   1959

Tinte [Stempeldruck], Wasserfarbe auf leichtem,
chamoisfarbenen Büttenpapier
279 x 427 mm
Signatur recto oben rechts mit Tinte »Andy Warhol«

AUSSTELLUNGEN/AUSSTELLUNGSKATALOGE:
1982   Berlin, Nationalgalerie, *Beuys –*
       Rauschenberg – Twombly – Warhol.
       Sammlung Marx, 2. März – 12. April,
       Kat. Nr. 129, Abb. S. 197;
       weitere Station:
       – Mönchengladbach, Städtisches Museum
          Abteiberg, 6. Mai – 30. Sept.
          [Berlin/Mönchengladbach ein Kat.].
1992   Rotterdam, Kunsthal, *Warhol – Kiefer –*
       Clemente. Werken op papier/works on
       paper, 1. Nov. 1992 – 3. Jan. 1993,
       Kat. Nr. 27, o. Abb.

55   Necklace   ca. 1960   ▶

Tinte, Tusche, Bleistift auf leichtem, weißen
Zeichenkarton
368 x 515 mm
Signatur recto unten rechts mit Bleistift
»Andy Warhol«

AUSSTELLUNGEN/AUSSTELLUNGSKATALOGE:
1992   Rotterdam, Kunsthal, *Warhol – Kiefer –*
       Clemente. Werken op papier/works on paper,
       1. Nov. 1992 – 3. Jan. 1993,
       Kat. Nr. 18, o. Abb.

56   Ohne Titel   ca. 1959   ▶

Tinte, Wasserfarbe, Bleistift auf festem, weißen
Strathmore Karton
585 x 356 mm
Ohne Bezeichnung
Zwei Stempel verso unten rechts [in blauer
Stempelfarbe] »The Estate of Andy Warhol«,
»The Andy Warhol Foundation For
The Visual Arts«

54

1½"

1¾"

Andy Warhol

P-118

57 Ohne Titel 1960

Wasserfarbe, Bleistift auf festem, weißen
Strathmore Karton
730 x 575 mm
Signatur verso unten rechts mit
Bleistift »Andy Warhol«

AUSSTELLUNGEN/AUSSTELLUNGSKATALOGE:
1982 Berlin, Nationalgalerie, *Beuys –
Rauschenberg – Twombly – Warhol.
Sammlung Marx*, 2. März – 12. April,
Kat. Nr. 134, Abb. S. 199; weitere Station:
– Mönchengladbach, Städtisches Museum
Abteiberg, 6. Mai – 30. Sept.
[Berlin/Mönchengladbach ein Kat.].
1992 Rotterdam, Kunsthal, *Warhol – Kiefer –
Clemente. Werken op papier/works on
paper*, 1. Nov. 1992 – 3. Jan. 1993,
Kat. Nr. 30, o. Abb.

58 Ohne Titel 1960

Wasserfarbe, Bleistift auf festem, weißen
Strathmore Karton
730 x 575 mm
Signatur verso unten links mit
Bleistift »Andy Warhol«

AUSSTELLUNGEN/AUSSTELLUNGSKATALOGE:
1982 Berlin, Nationalgalerie, *Beuys –
Rauschenberg – Twombly – Warhol.
Sammlung Marx*, 2. März – 12. April,
Kat. Nr. 132, Abb. S. 198; weitere Station:
– Mönchengladbach, Städtisches Museum
Abteiberg, 6. Mai – 30. Sept.
[Berlin/Mönchengladbach ein Kat.].
1992 Rotterdam, Kunsthal, *Warhol – Kiefer –
Clemente. Werken op papier/works on
paper*, 1. Nov. 1992 – 3. Jan. 1993,
Kat. Nr. 29, o. Abb.

59 Ohne Titel 1960

Wasserfarbe, Bleistift auf festem, weißen
Strathmore Karton
730 x 575 mm
Signatur verso unten rechts mit
Bleistift »Andy Warhol«

AUSSTELLUNGEN/AUSSTELLUNGSKATALOGE:
1982 Berlin, Nationalgalerie, *Beuys –
Rauschenberg – Twombly – Warhol.
Sammlung Marx*, 2. März – 12. April,
Kat. Nr. 133, Abb. S. 199; weitere Station:
– Mönchengladbach, Städtisches Museum
Abteiberg, 6. Mai – 30. Sept.
[Berlin/Mönchengladbach ein Kat.].
1992 Rotterdam, Kunsthal, *Warhol – Kiefer –
Clemente. Werken op papier/works on
paper*, 1. Nov. 1992 – 3. Jan. 1993,
Kat. Nr. 32, o. Abb.

57

58

59

Andy Warhol im Carnegie Institut of Technology, Pittsburgh 1947
Photo: Philip Pearlstein